ADVERSIDADE & VANTAGEM

Título original: *Adversity & Advantage*

Adversidade e vantagem
1ª edição: Janeiro 2023

Autores:
Napoleon Hill
Fundação Napoleon Hill

Tradução:
Débora Isidoro

Preparação de texto:
3GB Consulting

Revisão:
Debora Capella

Projeto gráfico e capa:
Jéssica Wendy

DADOS INTERNACIONAIS DE CATALOGAÇÃO NA PUBLICAÇÃO (CIP)

Hill, Napoleon
Adversidade e vantagem : como triunfar nos momentos mais difíceis e desafiadores da sua vida / Napoleon Hill ; tradução de Débora Isidoro ; editado e anotado por Satish Verma. — Porto Alegre : Citadel, 2023.
352 p.

ISBN: 978-65-5047-211-5

Título original: Adversity & Advantage

1. Autoajuda 2. Sucesso 3. Desenvolvimento profissional I. Título II. Isidoro, Débora III. Verma, Satish

23-0458 CDD - 158.1

Angélica Ilacqua - Bibliotecária - CRB-8/7057

Produção editorial e distribuição:

CITADEL
Grupo Editorial

contato@citadel.com.br
www.citadel.com.br

NAPOLEON HILL

ADVERSIDADE & VANTAGEM

COMO TRIUNFAR NOS MOMENTOS MAIS DIFÍCEIS E DESAFIADORES DA SUA VIDA

Editado e comentado por
SATISH VERMA

Prefácio de
DON GREEN

Tradução
DÉBORA ISIDORO

CITADEL
Grupo Editorial

2023

Toda derrota, toda decepção e toda adversidade carregam sementes de benefícios equivalentes ou maiores.

— Napoleon Hill

SUMÁRIO

PREFÁCIO

NAPOLEON HILL NO AR

Napoleon Hill, autor de muitos livros motivacionais populares, inclusive o inovador *As leis do triunfo*, em 1928, e *Quem pensa enriquece*, em 1937, conselheiro dos presidentes Woodrow Wilson e Franklin D. Roosevelt e palestrante e instrutor de dezenas de milhares de pessoas, tinha começado a se adaptar à aposentadoria com a esposa, na casa deles, em Los Angeles, na década de 1950. Ele se aproximava do aniversário de setenta anos e estava gostando de diminuir o ritmo, embora um pouco relutante, depois de viver uma vida tão ativa e prolífica. Digo "um pouco relutante" porque, embora amasse profundamente a esposa, Annie Lou, ele era um homem inquieto que acreditava com tanto ardor nos princípios do sucesso que estudara por quase meio século que queria vê-los ainda se espalhando pelo mundo.

O Sr. Hill tinha ainda alguns compromissos como palestrante; um deles em uma convenção de dentistas em Chicago, em 1952. Nesse evento ele foi apresentado a W. Clement Stone, antigo seguidor que também faria uma palestra na convenção. O Sr. Stone, um magnata multimilionário da área de seguros, o convenceu a abandonar a aposentadoria e retomar a carreira de palestrante e escritor em tempo integral. Em 1955, o Sr. Hill, em sociedade com o Sr. Stone, apresentou uma série de treze palestras pelo rádio, em domingos sucessivos, em Chicago, Illinois. Felizmente, essas transmissões foram gravadas. Elas nunca foram publicadas antes. As gravações só foram encontradas recentemente nos arquivos da Fundação Napoleon Hill, em uma caixa empoeirada sobre uma prateleira alta em um depósito, e estavam esquecidas havia muito tempo.

Nesses programas, o Sr. Hill foi entrevistado por Henry Alderfer, diretor associado do Napoleon Hill Institute, uma organização que o Sr. Stone e o Sr. Hill fundaram para ensinar os princípios do sucesso desenvolvidos pelo Sr. Hill ao longo de décadas. Os três primeiros programas abordaram três dos quatro princípios mais importantes anteriormente revelados pelo Sr. Hill, que são definir um objetivo principal, fazer o esforço extra e ter uma aliança de MasterMind. O sexto programa abordou o quarto desses princípios, a fé aplicada. As transmissões oito e nove discutiram mais dois dos dezessete princípios do sucesso: autodisciplina e atitude mental positiva. As transmissões restantes não focaram em um princípio apenas, tratando de temas como as doze grandes riquezas da vida, os fatores de personalidade que compõem uma atitude mental positiva, condicionar a mente para o sucesso, desenvolver uma personalidade vencedora e as principais causas para o fracasso.

Um tema que surge em muitas dessas transmissões, talvez contraintuitivo ao ser encontrado pela primeira vez, é que ninguém encontra sucesso de verdade sem antes viver o fracasso. Aprende-se com o fracasso, e é possível usar essas lições aprendidas para avançar em direção ao sucesso. Como escreveu o Sr. Hill: "Toda adversidade, toda derrota e todo sofrimento carregam consigo a semente de uma vantagem equivalente". Essa é uma mensagem poderosa, digna de muita reflexão, e essas transmissões oferecem muitos exemplos da verdade desse princípio.

Levadas ao ar na metade da década de 1950, quando os Estados Unidos (e boa parte do resto do mundo) ainda se recuperavam dos horrores e das privações da Segunda Guerra Mundial e da Guerra da Coreia, essas mensagens, particularmente as que tratam da recuperação depois de uma adversidade, foram especialmente oportunas. E apesar de terem sido apresentadas muitas décadas atrás, são tão oportunas agora quanto foram naquela época.

Os curadores da Fundação Napoleon Hill se orgulham de preservar a memória, o legado e os ensinamentos do Dr. Napoleon Hill e acreditam que você vai tirar proveito e apreciar esses valiosos programas de rádio.

Como um bônus especial, incluímos como apêndice a palestra inédita proferida por Napoleon Hill na convenção de dentistas em Chicago, em 1952, ocasião em que ele foi apresentado a W. Clement Stone.

- Don Green
Diretor-executivo e curador
Fundação Napoleon Hill

INTRODUÇÃO

O trabalho de Napoleon Hill tocou e transformou a vida de milhões de pessoas. Sua filosofia do sucesso capacitou pessoas no mundo inteiro para se removerem da pobreza e de um estado de perpétua infelicidade e viverem com abundância, realização e alegria.

Como uma das figuras mais reverenciadas e influentes nesse campo, Napoleon Hill criou um corpo de trabalho que é tão relevante hoje quanto foi ao longo dos últimos oitenta anos. Sua obra revela os segredos da mente daqueles que construíram o próprio destino e o destino do mundo. Gurus modernos do desenvolvimento pessoal continuam recorrendo aos princípios de Napoleon Hill em busca de orientação e inspiração.

O grande autor Ben Jonson disse que "Shakespeare não foi de um tempo, mas de todos os tempos". Isso vale também para o legado de Napoleon Hill no campo da literatura do desenvolvimento pessoal. Como Shakespeare, a profundidade e a elegância da obra de Hill não têm paralelos até os dias de hoje, o que garante que continuarão inspirando milhões de pessoas nos próximos séculos.

Shakespeare fez a linguagem ganhar vida com frases como "Tudo vai bem quando acaba bem", que ainda são citadas atualmente. Ele humanizou seus personagens tornando-os tão próximos do cotidiano que poderíamos facilmente nos identificar com suas fraquezas e seus pontos fortes, suas limitações e falta de limites, seus fracassos e sucessos.

Da mesma maneira, frases de Hill como "O que a mente pode criar e acreditar, a mente pode realizar" tornaram-se ocorrências comuns na literatura do sucesso dos tempos atuais. Os princípios do sucesso de Hill foram humanizados pela experiência de pessoas reais que, por intermédio das próprias histórias, caracterizaram seus sucessos ou fracassos por sua adesão, ou falta dela, aos princípios de Hill.

Este livro é uma coleção de palestras que Napoleon Hill fez pelo rádio, explicando os passos básicos pelos quais se pode superar a adversidade de qualquer tipo e transformá-la em uma vantagem de maior magnitude que a própria adversidade. Como suas outras obras, ela revela o verdadeiro caminho para o sucesso duradouro para quem quiser segui-lo.

Minha gratidão a Don Green, diretor-executivo da Fundação Napoleon Hill, que me deu a honra de comentar esta obra-prima. Minha paixão pela filosofia do sucesso de Hill nasceu de uma grande adversidade pessoal que enfrentei há cerca de trinta anos.

Diante da ruína financeira, bem como de desafios emocionais, espirituais e até físicos, fui apresentado às lições e aos princípios do sucesso de Napoleon Hill, que mudaram minha vida. Em seis meses, eu havia superado a falência, acumulava riqueza e tinha a vida dos meus sonhos.

As descobertas a seguir, que fiz pelo estudo de seu trabalho, me guiaram pela adversidade e me colocaram no caminho do sucesso duradouro:

- Existem forças ocultas dentro de todos nós que, uma vez libertadas, podem nos dar crença ilimitada em nossas habilidades.
- Tudo tem um preço justo, que deve ser pago se você quiser adquirir alguma coisa.
- É uma grande lei da natureza que, se você fizer a mente focar a imagem de seu desejo, o hábito natural da mente é fazer tudo que puder para transformar seu desejo em realidade.
- Pensamentos humanos têm tendência a se transformarem em seu equivalente físico.
- Você pode ter acesso ao poder do Universo e usá-lo em seu proveito sem violar os direitos de outras pessoas.
- Uma rotina noturna simples pode eliminar os seis medos básicos de sua vida.
- Existe uma fórmula simples de cinco pontos que garante autoconfiança indestrutível.
- Você pode tirar ideias do papel mesmo quando não tem dinheiro nenhum.
- Há um segredo para atrair as pessoas certas para sua vida.

Acredito que, seguindo os princípios no material que Napoleon Hill preparou, este livro será tão transformador para você quanto foi para mim.

– Satish Verma
Presidente e CEO
Think and Grow Rich Institute

ANTES DE VOCÊ COMEÇAR

As páginas a seguir vão revelar o mistério de como superar a adversidade e usá-la a seu favor para alcançar sucesso duradouro. Esse mistério é revelado pelo maior professor de autoaperfeiçoamento de todos os tempos, o próprio Napoleon Hill.

Em cada capítulo, Napoleon Hill fala diretamente com você (o texto do capítulo é uma transcrição das aulas que ele deu pelo rádio) para mostrar o caminho para superar adversidade, fracasso e sofrimento; ao percorrê-lo, você vai se fortalecer nos âmbitos mental, físico e espiritual, de forma que possa alcançar harmonia e paz de espírito.

Cada capítulo da transcrição do programa original de rádio é acompanhado de um material adicional para guiá-lo pelos principais temas e conceitos pertinentes à essência dos ensinamentos do capítulo. No mundo todo, pessoas enfrentaram dificuldades porque não tinham o poderoso conhecimento sobre a natureza do sucesso. Hill apresenta as lições de um jeito simples e conciso, tornando-as fáceis de seguir. Os princípios e conceitos, se entendidos e aplicados de maneira consistente, vão ajudá-lo a superar qualquer adversidade que possa encontrar ao longo da jornada de sua vida.

Cada capítulo é encerrado com anotações sobre a lição anterior, apresentando os pontos centrais sobre a natureza do sucesso e da adversidade. Refletir a respeito desses princípios atemporais e aplicá-los à sua vida vai ajudá-lo a superar os maiores inimigos da humanidade, como pobreza, medo e limitações autoimpostas.

Que este livro lhe traga paz e harmonia.

- Satish Verma
Presidente e CEO
Think and Grow Rich Institute

CAPÍTULO 1

DEFINIÇÃO DE OBJETIVO

(O PRIMEIRO PASSO DA POBREZA PARA A RIQUEZA)

Via de regra, a adversidade revela o gênio, e a prosperidade o esconde.

– Horácio

VISÃO GERAL

Cada capítulo deste livro oferece uma lição essencial sobre o caminho para a capacitação pessoal e uma vida de sucesso. Juntos, os capítulos fornecem um mapa que, se seguido de maneira vigorosa e constante, o levarão à vida de seus sonhos.

O objetivo deste capítulo de abertura é revelar o conhecimento fundamental e a compreensão necessária para dar o primeiro passo em direção ao seu destino. Hill aborda esse passo como a razão de sua existência, a razão para você ter nascido e o contexto de sua vida. Explorar esse conceito o libertará das limitações de medo, dúvida e desânimo. Você vai aprender que:

- Não há forças externas controlando seu destino.
- Existe um ponto de partida de toda conquista, para todas as pessoas.
- Só há uma coisa que lhe traz pobreza e sofrimento.
- Adquirir um único hábito pode ajudá-lo a superar qualquer adversidade.

Milhões de pessoas acumularam grandes fortunas munidas com o conhecimento apresentado neste capítulo, e ele pode fazer o mesmo por você. Sua nova jornada de vida começa agora.

PROGRAMA 1. DEFINIÇÃO DE OBJETIVO

LOCUTOR:

Boa tarde, senhoras e senhores. A *Radio School of Success Unlimited* está no ar. A Filosofia do Sucesso desenvolvida por Napoleon Hill será apresentada a vocês em treze programas consecutivos. Essa apresentação da filosofia da Ciência do Sucesso será feita por Napoleon Hill. O tempo disponível não me permite contar toda a história de Napoleon Hill, mas seus livros de sucesso, *Quem pensa enriquece* e *Como aumentar o seu próprio salário*, são *best-sellers* em todos os países do mundo. Essa Escola no Ar apresenta os princípios do sucesso desenvolvidos pelo Sr. Hill. Auxiliando o Sr. Hill na Escola no Ar, temos o diretor associado de educação Henry Alderfer. E agora, o Sr. Alderfer.

ALDERFER:

Obrigado. É realmente um prazer ser associado a Napoleon Hill, mas estou certo de que querem ouvir o próprio Napoleon Hill. Senhoras e senhores, Napoleon Hill.

NAPOLEON HILL:

Obrigado, Henry Alderfer. Antes de apresentar nosso primeiro programa, os ouvintes precisam conhecer nossa definição da palavra “sucesso”. É a capacidade de obter tudo que se deseja da vida sem violar os direitos de outras pessoas. A partir dessa definição, entenda que você é a única pessoa que pode determinar se é ou não um sucesso.

ALDERFER:

Sr. Hill, é verdade, como algumas pessoas acreditam, que existem condições além do nosso controle que nos limitam em relação ao grau de sucesso que podemos alcançar? É verdade, por exemplo, que pessoas que nasceram sob certos signos são eternamente fadadas a sofrimento e fracasso?

NAPOLEON HILL:

A melhor resposta para essa pergunta é apontar que homens e mulheres ao redor do mundo, pessoas que nasceram sob todos os signos, estabelecem seus objetivos na vida e os alcançam pela aplicação de uma filosofia do sucesso. Esses homens e essas mulheres descobriram que suas limitações são as que eles estabelecem ou aceitam na própria cabeça. É muito possível que qualquer um se torne bem-sucedido seguindo instruções e aplicando a Filosofia do Sucesso.

ALDERFER:

A Definição de Objetivo não seria um requisito fundamental para uma filosofia do sucesso?

NAPOLEON HILL:

Definição de Objetivo, ou um objetivo específico na vida, é o ponto de partida de todo sucesso individual. A menos que se saiba qual é seu objetivo na vida, não haverá iniciativa para alcançá-lo. No início da análise de Definição de Objetivo, vamos chamar atenção para sua natureza profunda e seu poder ilimitado como um meio de pensamento positivo. Em primeiro lugar, pense que o Criador deu a cada um de nós total poder de controle sobre apenas uma coisa, que é o privilégio de direcionar a mente para o propósito que escolhermos. É evidente que o Criador queria que assumíssemos a plena e completa posse de nossa mente, e que a dirigíssemos com Definição de Objetivo, porque sabemos que a penalidade para essa negligência é pobreza, sofrimento e fracasso.

ALDERFER:

Sr. Hill, existe uma recompensa apropriada para quem se apodera da mente e direciona seu poder mental para fins definidos de sua escolha?

NAPOLEON HILL:

Sim, e você pode comprovar analisando homens e mulheres, em todas as esferas da vida, que alcançaram o sucesso pelo estabelecimento de objetivos definidos. Em todos os casos, você vai observar que essas pessoas bem-sucedidas descobriram o poder do pensamento positivo adotando uma Definição de Objetivo em relação a propósitos que elas mesmas escolheram.

ALDERFER:

Acredito que nossos ouvintes vão se interessar por algumas histórias de pessoas que conquistaram sucesso relevante pela aplicação de uma filosofia do sucesso baseada em ter Definição de Objetivo.

NAPOLEON HILL:

Muito bem. Essa é uma boa ideia. O primeiro desses casos é sobre um homem que é um amigo pessoal; ele é muito conhecido e altamente admirado por milhares de ouvintes de rádio. Ele é Earl Nightingale, e aqui vai sua história, nas palavras dele.

"Acho que não houve um dia, nos últimos cinco anos, em que a influência da Filosofia do Sucesso não tenha dado forma à minha vida em todos os sentidos. Encontrá-la como a encontrei, depois de anos de busca ativa por respostas, foi como ser resgatado do mar. Senti uma iluminação tão brilhante que não restou nem sombra de dúvida. Desde então, poucos anos atrás, consegui realizar tudo a que dediquei minha mente. Uma semana depois de ter descoberto a fórmula do sucesso, dobrei meu salário e, depois, só para ter certeza, dobrei de novo. Criei quatro companhias desde aquele tempo e estou caminhando em direção ao meu objetivo de vida. Por incrível que pareça, há uma dose de sabedoria transmitida desde a Antiguidade sem ser alterada ou desafiada. Grandes pensadores do início dos tempos a propuseram como se fosse sua descoberta pessoal, e assim foi. Podemos ler essa informação mil vezes e ouvir alguém gritá-la na nossa cara, mas, por alguma razão autolimitante, não a descobrimos até que estejamos prontos para isso. 'Os pensamentos humanos têm tendência a se transformar em seus equivalentes físicos.' E isso é tudo. Não é muito empolgante, é? Apenas doze palavras, que ainda me causam arrepios quando penso no poder que elas contêm."

ALDERFER:
A história de Earl Nightingale é uma descoberta do poder dentro de nossa mente e corresponde perfeitamente ao que tem sido dito sobre a solidez da ideia de Definição de Objetivo. Vai nos dar mais uma história?

NAPOLEON HILL:
Sim, e aqui vai um caso muito interessante, que mostra o que pode acontecer quando se deixa de avançar com Definição de Objetivo.

Alguns anos atrás, R. U. Darby, de Baltimore, Maryland, teve a sorte de descobrir um veio de ouro muito rico enquanto estava de férias no oeste. Ele foi para casa e pegou dinheiro emprestado com amigos e parentes para o maquinário de mineração, voltou ao oeste e se dedicou a trabalhar nessa rica mina de ouro. Tudo correu bem por algumas semanas. Então, de repente, o veio acabou. Desesperado, Darby vendeu as máquinas para um comerciante de ferro-velho por uma fração do que haviam custado e voltou para casa. Mas o comerciante de ferro-velho foi esperto e procurou um engenheiro de mineração, que examinou a mina e anunciou que uma falha na terra interrompia o veio de ouro. Ele disse: "Cave mais um pouco e vai encontrar o veio novamente". O novo proprietário, o homem com Definição de Objetivo, cavou mais três passos e encontrou o veio. Sua Definição de Objetivo rendeu vários milhões de dólares. A mina se tornou uma das mais ricas do oeste. Todos os dias, há homens e mulheres, como Darby, que param pouco antes de um sucesso glorioso, porque estão vagando pela vida sem propósito ou objetivo.

ALDERFER:

Sr. Hill, pode contar uma história de alguém bem conhecido da atual geração que tenha conquistado o sucesso por meio de Definição de Objetivo?

NAPOLEON HILL:

Sim. Há alguns anos, um jovem universitário chamado Jennings Randolph determinou seu principal objetivo na vida e se dedicou a alcançá-lo imediatamente após tomar conhecimento da importância da Definição de Objetivo. Seu primeiro alvo era tornar-se membro do Congresso depois de se formar na faculdade. Ele conseguiu e atuou no Congresso durante catorze anos. Não satisfeito, estabeleceu outro objetivo que o elevou à sua atual posição de assistente do presidente da Capital Airlines, e é bem possível que Randolph avance ainda mais para qualquer objetivo que determinar, porque ele entende e usa plenamente o princípio da Definição de Objetivo.

ALDERFER:
Há vários fatos importantes ou premissas que precisam ser entendidas a fim de se estabelecer um objetivo definido na vida. Pode descrevê-los para nossos ouvintes?

NAPOLEON HILL:
Dois fatores centrais são as pedras fundamentais sobre as quais é construída a ideia da Definição de Objetivo e mostram claramente por que ninguém pode conquistar o sucesso sem eles. Número um, o ponto de partida de toda realização individual é a adoção de um objetivo definido, acompanhado por um plano definido para sua realização e seguido por ação apropriada a partir desse plano.

Todas as realizações individuais são resultados de um motivo ou de uma combinação de motivos, e os motivos básicos que inspiram toda ação humana voluntária são os seguintes: a emoção do amor, a emoção do sexo, o desejo por riqueza material, o desejo por autopreservação, o desejo por liberdade de corpo e mente, o desejo por expressão pessoal e reconhecimento de terceiros, o desejo por perpetuação da vida depois da morte, e depois estes dois fatores negativos, que dizem inspirar mais ação que todos os outros sete motivos juntos, a saber, o desejo de vingança contra ofensas reais ou imaginárias e o avô de todos eles, o medo.

Número dois, qualquer plano ou propósito dominante mantido em mente pela repetição de pensamento e carregado de emoção com fé ou um desejo ardente por sua realização é absorvido pela área subconsciente da mente, posto em prática por quaisquer meios naturais e lógicos que possam estar disponíveis e levado à sua conclusão lógica.

ALDERFER:
Pode dizer aos nossos ouvintes alguns dos principais benefícios que se pode alcançar pela Definição de Objetivo?

NAPOLEON HILL:
A Definição de Objetivo desenvolve automaticamente autoconfiança, iniciativa pessoal, imaginação, entusiasmo, autodisciplina e concentração de esforço, todos pré-requisitos para a conquista do sucesso. Induz o indivíduo a programar seu tempo e criar planos para o dia a dia, que levam à realização de um objetivo geral ou principal. Torna o indivíduo mais alerta para reconhecer oportunidades relacionadas ao alvo de seu objetivo principal definido. Inspira confiança na integridade e no caráter do indivíduo, e isso atrai a atenção favorável de pessoas que possam ajudá-lo a conquistar seus propósitos e objetivos na vida. Abre caminho para o pleno exercício desse estado mental conhecido como fé, tornando a mente positiva e removendo dela as limitações de medo, dúvida e ansiedade. Torna o indivíduo ciente do sucesso, o primeiro passo na direção da realização bem-sucedida em todas as empreitadas. A Definição de Objetivo também ajuda no desenvolvimento e na manutenção de uma atitude mental positiva.

ALDERFER:
Sr. Hill, muito interesse tem sido demonstrado ultimamente em relação ao assunto de uma atitude mental positiva, e acredito que

nossos ouvintes da rádio gostariam de saber como desenvolver o hábito do pensamento positivo.

NAPOLEON HILL:
Há uma fórmula que tem sido usada com muita eficiência. Ela é simples, qualquer pessoa pode usá-la sem grande esforço. Primeiro, desenhe uma imagem clara em sua mente do que exatamente você deseja e comece a viver e agir como faria se esse desejo já tivesse sido realizado. Respalde seu desejo com o maior número possível de motivos básicos. Mantenha seu desejo ativo o tempo todo por meio de atitudes físicas e mentais. Inatividade em relação aos desejos é imprudente.

Depois, programe-se para acreditar que vai alcançar o objeto de seus desejos. Mantenha a mente desligada de circunstâncias e coisas que não deseja, porque a mente atrai aquilo de que é alimentada. Concentre-se nas razões pelas quais acredita que tem o direito de conquistar o objeto de seus desejos, inclusive naquilo que pretende dar em troca, e comece no ponto onde está. Desenvolva o hábito de adquirir informação essencial para a realização de seus desejos fazendo perguntas a pessoas que sabe terem as respostas certas. Mantenha o objeto de seu desejo só para você, ou pode provocar inveja e oposição que podem prejudicá-lo. Coloque o maior número possível de pessoas na posição de dever obrigações a você pelo hábito de Fazer o Esforço Extra, prestando mais serviço do que é esperado de você. Mantenha a mente livre de inveja e raiva, ganância e ódio, ciúme, vingança e medo, porque essas são as sete fontes sombrias de fracasso. Nessas instruções você tem os meios para desenvolver uma atitude mental positiva que vai atrair as coisas e as pessoas relacionadas a seus propósitos e objetivos na vida.

ALDERFER:

Sr. Hill, se uma pessoa desenvolveu uma atitude mental positiva, como ela trabalha pela realização desse objetivo principal definido?

NAPOLEON HILL:

Primeiro, escreva uma declaração clara de objetivo principal na vida, assine-a, decore-a e repita-a pelo menos duas vezes por dia na forma de uma oração ou afirmação. Se for casado, peça para a esposa ou o marido assinar a declaração com você e repeti-la junto antes de se recolherem todas as noites. Em segundo lugar, escreva um esboço claro e definido do plano ou dos planos pelos quais pretende alcançar seu objetivo principal definido e estabeleça o prazo máximo em que pretende alcançá-lo. Depois descreva em detalhes e precisamente o que pretende dar em troca pela realização do objeto de seu desejo. Tenha em mente que tudo tem um preço justo, que deve ser pago. Em terceiro lugar, mantenha seu objetivo principal definido estritamente para você e a pessoa com quem é casado, exceto nos casos em que ele será anunciado em um programa futuro relacionado ao MasterMind. Leve seu objetivo principal definido à consciência tantas vezes quanto puder. Coma com ele. Durma com ele. E leve-o com você todas as horas do dia, lembrando que a mente subconsciente pode ser influenciada para trabalhar por sua realização enquanto você dorme.

ALDERFER:

Sr. Hill, creio que nossos ouvintes desejam saber como esses pensamentos que discutimos hoje foram incorporados e desenvolvidos na Filosofia do Sucesso, e talvez queiram entender alguma coisa da relação entre a filosofia, nosso estilo de vida americano e nosso sistema de livre empreendimento.

NAPOLEON HILL:

Ela começou sob o patrocínio de Andrew Carnegie, o fundador da United States Steel Corporation, que em 1908 me autorizou a dar ao mundo sua primeira filosofia prática de realização individual. Posto da maneira mais breve possível, é o *know-how* organizado dos homens que mais fizeram para desenvolver e estabilizar nosso grande estilo de vida americano e nosso sistema de livre empreendimento. O Sr. Carnegie doou a maior parte de seu dinheiro antes de morrer, mas confiou a mim o que dizia ser a maior porção de sua riqueza, que consistia nos meios pelos quais ele adquiriu sua fortuna, e me encarregou de dedicar a vida a levar esse conhecimento às pessoas do mundo.

ALDERFER:

A história sobre como Andrew Carnegie passou a patrociná-lo tem muito a ver com Definição de Objetivo. Poderia descrevê-la aos nossos ouvintes?

NAPOLEON HILL:

Tive minha primeira entrevista com o grande industrial quando ainda era um jovem jornalista. Fui procurar o Sr. Carnegie para escrever uma matéria sobre seu sucesso. Ele aceitou me conceder três horas, mas me manteve em sua casa por três dias e três noites, durante os quais me entrevistou enquanto eu o entrevistava. Sem que eu tivesse consciência disso, o Sr. Carnegie me testava para ver se eu tinha determinada qualidade que, ele sabia, seria necessária ao homem que organizaria a filosofia da Ciência do Sucesso.

ALDERFER:
Interessante. E que qualidade específica era essa que tanto preocupava o Sr. Carnegie?

NAPOLEON HILL:
Era a única qualidade sem a qual ninguém pode alcançar sucesso notável em nenhuma vocação, e devo acrescentar que não sabia que tinha essa qualidade, até que ela foi revelava pela mente investigativa do grande Andrew Carnegie.

ALDERFER:
Essa qualidade que o Sr. Carnegie procurava pode ser adquirida ou deve nascer com a pessoa?

NAPOLEON HILL:
Pode ser adquirida por todos que dominam e aplicam a ideia da Definição de Objetivo. Essa qualidade consiste no hábito de despertar mais força de vontade, em vez de desistir e aceitar a derrota quando se encontram problemas difíceis e o avanço se torna complicado. Para me testar quanto a essa importante qualidade, o Sr. Carnegie complicou minha tarefa impondo a condição de que eu ganhasse meu sustento durante vinte anos de pesquisa, sem nenhum subsídio dele. Na época pensei que essa condição era muito cruel, mas depois descobri que era uma grande bênção, porque me obrigava a desenvolver recursos e aplicar os princípios do sucesso que descobria em minha pesquisa.

ALDERFER:

Que porcentagem das pessoas no mundo adotam o hábito de aplicar a Definição de Objetivo, isto é, quantas determinam um objetivo definido na vida?

NAPOLEON HILL:

Aproximadamente 5%. A grande maioria, cerca de 95% das pessoas de todos os países, anda em círculos sem objetivo ou propósito. Elas vagam ao sabor das circunstâncias da vida, boas ou ruins, enquanto os indivíduos de sucesso criam as próprias circunstâncias e as aproveitam rumo à vitória.

ALDERFER:

Quem foi outra pessoa famosa fundamental para o desenvolvimento dessa filosofia?

NAPOLEON HILL:

Thomas A. Edison foi, sem dúvida, a mais interessante e de quem provavelmente recebi a ajuda mais importante durante meus vinte anos de pesquisa. Menciono o Sr. Edison não só por causa de suas grandes realizações, mas também porque ele as alcançou apesar da falta de educação formal. O Sr. Edison tinha aquela qualidade que me deu a oportunidade com Andrew Carnegie, ou seja, o hábito de aumentar o esforço, em vez de desistir diante de dificuldades. Antes de aperfeiçoar a moderna lâmpada elétrica incandescente, ele tentou mais de dez mil ideias diferentes, e todas fracassaram. Essa foi uma Definição de Objetivo sem paralelo na história da humanidade. Tenho a impressão de que todo o poder do Universo se torna misteriosamente disponível para a pessoa que segue adiante ao ser testada por problemas difíceis quando avançar parece ser algo além do que se pode suportar.

ALDERFER:
É bem evidente, a partir desse exemplo, que a afirmação "o que a mente pode conceber e acreditar, a mente pode realizar" é um dos incentivos mais fortes para se tornar bem-sucedido tendo em vista um objetivo definido.

Obrigado, Sr. Hill, por seus interessantes exemplos de aplicações de Definição de Objetivo. Na próxima semana, vamos discutir o que é Fazer o Esforço Extra, um princípio que revela o método pelo qual é possível elevar-se a grandes alturas fazendo mais do que é requisitado e esperado. Sintonizem novamente na mesma hora, no próximo domingo.

SABEDORIA PARA VIVER

1. Adversidade não surge porque você falhou em alguma coisa. Não ter um Objetivo Principal Definido é, em si mesmo, a maior falha da vida. As consequências mais significativas de não ter um objetivo são pobreza, sofrimento e fracasso.
2. Muitas pessoas desistem de seu Objetivo Principal Definido por acharem que seu plano não é bom o bastante para alcançar esse objetivo. Essas pessoas esperam até ter um plano forte. A opinião de Hill é que qualquer plano, forte ou fraco, é melhor que nenhum plano. Um plano fraco tem um jeito de se tornar forte, se for aplicado de maneira definida. "A diferença entre um plano bom e outro não tão bom é que um plano bom, se aplicado de maneira definida, pode ser implementado mais depressa do que um plano que não é tão bom." Se o plano falha, deve ser substituído por outro.
3. Um plano deve ser baseado em motivos justos e morais. Um plano e um objetivo que não são justos podem trazer sucesso temporário, mas ele não vai durar. Sucesso duradouro só acontece quando sua causa é justa e moral; se não, as consequências são muito pesadas.

ADVERSIDADE E VANTAGEM

1. Força de vontade é uma qualidade sem a qual nenhuma pessoa pode alcançar sucesso relevante em nenhuma área. Como Hill ensina: "Quando você enfrentar uma situação adversa ou um fracasso no processo de busca de seu objetivo definido, intensifique a força de vontade, em vez de desistir".
2. Hill encerra a lição com uma afirmação poderosa, quando diz: "Tenho a impressão de que todo o poder do Universo se torna misteriosamente disponível para a pessoa que segue adiante ao ser testada por problemas difíceis quando avançar parece ser algo além do que se pode suportar".
3. Só essa qualidade relevante (força de vontade) vai ajudá-lo a descobrir seu outro eu, e esse eu não conhece fracasso, derrota ou limitações.

CAPÍTULO 2

FAZER O ESFORÇO EXTRA

(UM SEGREDO QUE PODE FAZER SEU SUCESSO EXPLODIR)

A adversidade tem o efeito
de despertar talentos que,
em circunstâncias prósperas,
teriam ficado adormecidos.

– Horácio

VISÃO GERAL

Neste capítulo, Hill ensina como fazer da construção de caráter um hábito de vida, tornando-o, consequentemente, indispensável nos relacionamentos e no local de trabalho.

Se você alguma vez pensou nas questões abaixo, as respostas neste capítulo vão surpreendê-lo e inspirá-lo:

- △ Por que algumas pessoas têm sucesso na vida, enquanto outras fracassam?
- △ Por que algumas pessoas parecem ter sorte, enquanto outras com igual ou maior habilidade, treinamento, educação, capacidade mental e experiência parecem destinadas a viver com o infortúnio?
- △ Algumas pessoas parecem atrair sucesso, poder e riqueza com bem pouco esforço consciente. Algumas conquistam essas coisas com grande dificuldade, enquanto outras fracassam completamente na tentativa de realizar suas ambições, seus desejos e ideais. Por quê?
- △ Por que tanta gente trabalha tão duro e honestamente sem nunca conquistar nada, enquanto outras pessoas parecem não trabalhar tanto, mas conquistar tudo?
- △ Por que algumas das pessoas mais inteligentes estão entre as mais pobres, enquanto pessoas de inteligência mediana constroem uma fortuna?

Neste capítulo, Napoleon Hill oferece as respostas para essas perguntas. Quando você descobrir as respostas, sua vida será alterada imediatamente e "você vai se descobrir literalmente arrastado para o sucesso".

PROGRAMA 2. FAZER O ESFORÇO EXTRA

ANUNCIANTE:

Boa tarde, senhoras e senhores. A famosa *Radio School of Success Unlimited* está no ar. As Chaves para o Sucesso de Napoleon Hill são trazidas para vocês em treze programas consecutivos. Hoje a segunda lição sobre a filosofia da Ciência do Sucesso será dada por Napoleon Hill. O tempo simplesmente não me permite contar a história completa do Sr. Hill. Mas vocês precisam saber que ele é autor de livros de sucesso que são *best-sellers* em dezenas de países. Com o Sr. Hill, temos aqui Henry Alderfer, diretor associado de educação do Napoleon Hill Institute. Com vocês, o Sr. Alderfer.

ALDERFER:

Boa tarde, senhoras e senhores. Aqui é Henry Alderfer trazendo mais meia hora de programa com Napoleon Hill, o distinto autor, filósofo e consultor de negócios, que vai discutir a filosofia de Fazer o Esforço Extra. A ideia de Fazer o Esforço Extra significa que ninguém jamais alcança sucesso relevante em qualquer área sem prestar mais e melhor serviço do que aquele pelo qual é pago, e prestá-lo com uma atitude mental agradável e amistosa. Para quem trabalha por salário, essa ideia deve ser de grande benefício, porque revela a única razão legítima para se pedir um aumento no valor do pagamento ou uma promoção para um cargo melhor. Essa é uma dinamite mental que pode ser muito mais explosiva que a bomba atômica, já que se pode usá-la para explodir de seu caminho todo tipo de desvantagem e oposição. Senhoras e senhores, com vocês, Napoleon Hill.

NAPOLEON HILL:

Obrigado, Henry Alderfer, e boa tarde, meus amigos. Estou especialmente feliz com a discussão da ideia de Fazer o Esforço Extra porque todo grande benefício já recebido por homens bem-sucedidos foi resultado de seguir o hábito de fazer-se útil a outras pessoas. Fiquei profundamente impressionado com o fato de mais de quinhentos homens distintos e bem-sucedidos que já conheci terem alcançado esse sucesso, em grande parte, por aderirem ao hábito de Fazer o Esforço Extra.

Vou dar alguns exemplos de como esse grande princípio funciona, mas antes quero enfatizar esta verdade, a de que o espaço que você ocupa em sua posição ou vocação na vida pode ser medido com precisão pela qualidade do serviço que você presta, mais a quantidade do serviço, mais a atitude mental com que presta o serviço. Você vai observar que tudo isso está sob seu absoluto controle pessoal.

ALDERFER:

Sr. Hill, importa-se de contar sobre a primeira vez que descobriu e usou a ideia de Fazer o Esforço Extra? Ouvi quando mencionou essa história e eu nunca soube de nada comparável em minha vida.

NAPOLEON HILL:

Pode-se dizer que a descoberta dessa ideia foi feita por acidente quando eu procurava meu primeiro emprego. Depois de me formar na faculdade de Administração, ficou evidente que eu tinha muito mais a aprender do que aquilo que me fora ensinado na escola. Então, olhei em volta e escolhi com muito cuidado o empregador que eu queria ter.

ALDERFER:

Muito interessante. Escolheu seu empregador. Não é costumeiro que o contratante escolha o empregado?

NAPOLEON HILL:

Bem, pode ser costumeiro, Henry, mas encontrei um jeito novo e muito melhor de conseguir o emprego que queria, e foi a ideia de Fazer o Esforço Extra. O empregador que escolhi foi o General Rufus A. Ayers, o mais distinto advogado e empresário no meu estado, a Virgínia, dono de uma cadeia de bancos, uma ferrovia e várias minas de carvão. Decidi investir no General Ayers por causa do vasto conhecimento que poderia adquirir trabalhando sob sua orientação.

Foi assim que abordei o general, escrevendo para ele a seguinte carta:

> "Caro General Ayers,
>
> Acabei de concluir o curso de Administração e o escolhi para ser meu primeiro empregador. Eu o escolhi porque sei que ainda tenho muito a aprender, apesar de ter conquistado boas notas na escola, e desejo realizar esse treinamento sob sua orientação. Portanto, faço a seguinte oferta: trabalho para sua empresa durante um período de experiência de três meses, no qual pagarei o valor que estipular pelo treinamento que vou receber, com a condição de que, ao final dos três meses, se decidir que me saí bem, eu continue trabalhando na sua empresa pelo mesmo salário que me cobrou nos primeiros três meses."

ALDERFER:

Arrisco o palpite de que o General Ayers nunca recebeu outra candidatura como a sua.

NAPOLEON HILL:

Não, e duvido de que algum outro empregador tenha recebido uma proposta como essa. Nos dias de hoje, o candidato entrevista o empregador querendo saber qual é o horário de trabalho, quanto é o salário inicial, quando se pode esperar um aumento, quanto tempo de férias remuneradas é permitido e que benefícios são oferecidos.

ALDERFER:

E pode acrescentar, Sr. Hill, que muitas vezes o empregado não só deixa de fazer o esforço extra, como também não se importa nem com o básico que tem de fazer, se puder fugir de qualquer esforço. Conseguiu o emprego com o General Ayers, não?

NAPOLEON HILL:

Sim, consegui! O General Ayers nem esperou para responder por carta, ele telefonou para mim e disse: "Venha ao meu escritório e mostre-me como você é, porque quero ter certeza de que não é um marciano ou um ser de outro planeta". Quando cheguei ao escritório do general, ele me cumprimentou com grande entusiasmo e disse: "Só gostaria de fazer mais uma pergunta, antes de começarmos a falar sobre seu emprego. Sua abordagem incomum para se candidatar a trabalhar comigo foi ideia sua ou sugestão de alguém?". Quando falei que a ideia foi minha, o general disse: "Isso é tudo que eu queria saber. Está empregado a partir de agora e pode começar hoje como membro da minha equipe de secretariado, com o mesmo salário que pago a todos os iniciantes".

ALDERFER:

O que aconteceu enquanto esteve trabalhando para o General Ayers, e, principalmente, sua abordagem incomum ao candidatar-se ao cargo valeu a pena?

NAPOLEON HILL:

Aqui vai uma breve descrição do que aconteceu, e você pode julgar por si mesmo se minha abordagem baseada na ideia de Fazer o Esforço Extra valeu a pena ou não. No fim dos primeiros seis meses, fui promovido antes de seis outras pessoas e me tornei secretário pessoal do General Ayers. Seis meses depois, recebi outra promoção, para o cargo de gerente-geral da Seabord Coal Company, uma das operações da mina de carvão do General Ayers que empregava cerca de quinhentas pessoas. Meu salário foi aumentado três vezes no primeiro ano, sem que eu tenha pedido aumento uma única vez.

ALDERFER:

Em outras palavras, pode-se dizer que o padrão de sua vida inteira foi determinado por um ato simples de demonstrar disponibilidade para provar o valor de seus serviços antes de estabelecer um preço para eles. Eu diria que sua abordagem incomum ao candidatar-se a um emprego deixou ao General Ayers poucas opções, se é que havia alguma, além de permitir um período de experiência.

NAPOLEON HILL:

Sim, é verdade. O General Ayers disse a mesma coisa muitas vezes. Preciso contar uma experiência engraçada que tive com o General Ayers. Um dia, um cliente chegou ao escritório para falar com o general, mas ele não estava. O cliente precisava da redação de um importante documento legal. Eu havia datilografado um documento semelhante para o general. Encontrei uma cópia, fiz as alterações necessárias e o deixei pronto para que ele o inspecionasse e aprovasse ao voltar.

Quando leu o documento, ele me chamou ao seu escritório e disse com um sorriso largo: "A qualquer momento, espero entrar neste escritório e encontrar você sentado à minha mesa". Depois ficou mais sério e continuou: "Hill, há dois tipos de pessoas que nunca chegam a lugar nenhum nem conquistam muita coisa no mundo. Uma é aquela que não faz o que dizem para fazer, e a outra é que não faz nada além do que dizem para fazer. Você me mostrou que não é nenhum dos dois tipos".

ALDERFER:
Estou tão intrigado quanto o General Ayres para saber como pensou nessa abordagem incomum para candidatar-se a um emprego. Pode nos dar alguma informação sobre isso?

NAPOLEON HILL:
Bem, Henry, não há nenhum mistério nisso. Meu senso comum decidiu que três meses de experiência sob orientação do General Ayers seria uma ajuda impagável no caso de eu me candidatar a um emprego em outro lugar, se o general não quisesse me contratar depois do período de experiência. Também compreendi que ganharia mais com três meses de experiência com um homem como o general do que tinha ganhado durante todo o curso na escola de Administração.

Agora, Henry, vou lhe dizer uma coisa que pode ser surpresa para você, ou não. Você foi escolhido para o cargo que ocupa agora quase exclusivamente por ser muito óbvio que entende e adotaria a ideia de Fazer o Esforço Extra. Havia outros seis candidatos ao cargo, todos bem qualificados para a vaga, mas fiz um teste com você, como fiz com os outros, que provou de maneira conclusiva que seria o homem mais valioso para a função, e você passou no teste com louvor.

ALDERFER:
Eu nem sabia de nenhum teste. Pode me dizer qual foi?

NAPOLEON HILL:
Ah, não, Henry! Se eu contar, vai me pedir um aumento de salário assim que este programa acabar!

ALDERFER:
Estava pensando, o método que usou para entrar em contato com o General Ayers e pedir um emprego seria tão eficiente hoje quanto foi naquele momento?

NAPOLEON HILL:
Henry, um princípio sólido nunca deixa de ser eficiente com o passar do tempo, e seres humanos e os motivos que os influenciam são hoje os mesmos de quando o General Ayers me contratou. Aqui vai uma experiência muito recente para provar esse argumento. Menos de dois meses atrás, um homem entrou em um escritório e pediu um emprego de vendedor. Ele acreditava no produto e em seu valor. Não pediu nenhuma compensação, nem mesmo uma mesa, mas pediu uma relação de algumas pessoas que se interessavam pelos produtos da companhia. Ele levou a lista, passou a entrar em contato com as pessoas e, imediatamente, começou a vender. Ele exibiu um desempenho tão impressionante que o chefe não teve escolha, senão convidá-lo a se juntar à equipe, o

que ele aceitou em condições que podem ser muito compensadoras para ele. E tudo isso apesar de não estar buscando benefícios monetários quando começou a trabalhar. Ele procurava apenas uma oportunidade para fazer o esforço extra, mas é claro que já havia aprendido que esse esforço leva diretamente ao fim do arco-íris, onde algo muito maior que um pote de ouro espera aqueles que chegam lá motivados por essa ideia.

ALDERFER:
Suponha que esse cavalheiro tivesse adotado uma abordagem comum ao procurar emprego. Ele teria sido contratado?

NAPOLEON HILL:
Francamente, não! Seu empregador precisava saber alguma coisa sobre sua habilidade antes de oferecer a ele uma posição. Mas ele tornou isso desnecessário demonstrando sua habilidade com antecedência, e no próprio tempo e às próprias custas.

ALDERFER:
Em outras palavras, ele aplicou a ideia de Fazer o Esforço Extra com tanta eficiência que foi convidado a se juntar à equipe e em condições que, provavelmente, vão pagar mais do que ele teria pensado em pedir se tivesse decidido solicitar sua inclusão na folha de pagamento antes de demonstrar a própria capacidade. Não é estranho que tão poucas pessoas aprendam como progredir na vida seguindo a ideia de Fazer o Esforço Extra?

NAPOLEON HILL:
Sim, é estranho, realmente, e você pode estar interessado em saber que a principal razão atribuída ao sucesso das pessoas é terem

começado na estrada para o sucesso aprendendo os benefícios de Fazer o Esforço Extra.

Aqui vai outro caso muito interessante, no qual um jovem avançou para uma posição de fama e fortuna com um simples gesto de Fazer o Esforço Extra. Aconteceu em uma manhã gelada, quando o vagão privado de Charles M. Schwab foi desviado para um trilho lateral na usina de aço de seu empregador em Bethlehem, Pensilvânia. Quando o Sr. Schwab desceu do vagão, foi recebido por um rapaz que carregava um caderno e disse ser estenógrafo no escritório da companhia, e que tinha ido receber o Sr. Schwab na esperança de escrever quaisquer cartas ou telegramas que o mestre do aço pudesse querer enviar. "Quem pediu para vir me encontrar aqui?", o Sr. Schwab perguntou. "A ideia foi minha, senhor", respondeu o rapaz. "Eu sabia que viria no trem da manhã, porque cuidei dos telegramas que anunciavam sua chegada."

O Sr. Schwab agradeceu ao homem pela dedicação e disse que o chamaria mais tarde, se precisasse de seus serviços. E chamou! Quando o vagão particular voltou à cidade de Nova York naquela noite, o jovem Al Williams, o estenógrafo que havia feito o esforço extra, estava a bordo. A pedido do Sr. Schwab, ele foi transferido para o escritório privado do mestre do aço em Nova York. Em seu novo trabalho, o jovem Williams teve uma oportunidade de conhecer muitos dos influentes banqueiros de Wall Street e corretores amigos do Sr. Schwab, e, por intermédio desses contatos, cerca de cinco anos depois, foi convidado a se tornar presidente de uma grande empresa atacadista de medicamentos por um salário fabuloso e com ações da companhia.

Vale a pena prestar mais e melhor serviço do que se é pago para prestar, porque, mais cedo ou mais tarde, isso leva a uma oportunidade de ser pago por mais do que se faz, na verdade.

ALDERFER:
Sabe se o jovem Al Williams tinha outras qualidades, além de seguir o hábito de Fazer o Esforço Extra, que podem ter contribuído para essa ascensão à fama e à fortuna?

NAPOLEON HILL:
O Sr. Schwab me garantiu que o jovem Williams não tinha nenhuma qualidade que justificasse o salário acima da média como estenógrafo, exceto a disposição para ser útil, independentemente do pagamento ou das horas de trabalho.

ALDERFER:
E quanto às pessoas que reclamam de trabalhar para indivíduos egoístas que não reconhecem o hábito de Fazer o Esforço Extra, e portanto não o fazem?

NAPOLEON HILL:
Sim, essa queixa é ouvida muitas vezes, mas isso não altera o fato de que Fazer o Esforço Extra é o único meio certo de se avançar, seja nos negócios, seja em outros relacionamentos. Ralph Waldo Emerson disse: "Se você serve um mestre ingrato, sirva-o ainda mais. Ponha Deus em dívida com você. Cada movimento será recompensado. Quanto mais o pagamento demorar para acontecer, melhor para você, porque juros sobre juros compõem o valor e a obrigação desse tesouro".

Emerson afirmou que, ao Fazer o Esforço Extra, o indivíduo põe Deus em dívida com ele. O que sei é que todo serviço prestado pela prática de Fazer o Esforço Extra retorna ao indivíduo, de um jeito ou de outro, e volta muito multiplicado. A recompensa nem sempre vem da mesma fonte a que o serviço foi prestado, e muitas vezes vem de fontes inteiramente inesperadas. Creso, o rico filósofo persa, uma vez disse: "Existe uma roda em torno da qual giram os assuntos dos homens, e seu mecanismo impede qualquer um de ser sempre afortunado". É verdade, essa roda existe, mas pode ser obrigada a rodar ao contrário e elevar o número de vitórias pelo simples procedimento de Fazer o Esforço Extra.

ALDERFER:

Sr. Hill, essa ideia de Fazer o Esforço Extra pode ter sua eficiência comprovada em relação às leis naturais?

NAPOLEON HILL:

Sim, todos os princípios da filosofia do sucesso foram cuidadosamente avaliados e verificados por sua eficiência e harmonia em relação às leis naturais. Aqui vai um exemplo muito simples que prova definitivamente que a ideia de Fazer o Esforço Extra está em harmonia com as leis naturais e não é só uma regra de conduta criada pelo homem. Vejamos o agricultor, por exemplo. Ele entende a necessidade de Fazer o Esforço Extra e segue essa ideia. Se não a seguisse, a raça humana pereceria por falta de alimento. O agricultor primeiro limpa o solo e o prepara para o plantio. Ele não é recompensado por isso. Depois ele cerca o terreno para proteger suas plantações. Não é compensado por isso. Ele ara a terra e planta a semente nela. E não é compensado por isso. Então, ele se senta para descansar e entrega o trabalho a um poder superior, espera a semente germinar e se desenvolver em colheita. Não haveria colheita se o agricultor não fizesse a parte dele primeiro fazendo o esforço extra — na verdade, muito esforço extra. Quando chega o tempo da colheita, veja, um milagre aconteceu. Porque cada grão de trigo ou milho que o agricultor plantou enquanto fazia o esforço extra, seu sócio invisível devolve a ele multiplicado por cem ou mais em relação ao que ele plantou. Esse excedente é para compensá-lo por sua inteligência e disposição para Fazer o Esforço Extra. O exemplo é claro para você, Henry?

ALDERFER:

Sim, é, e tenho certeza de que também é claro para todos os ouvintes do programa. Agora me ocorre perguntar o que acontece com o indivíduo que, por ignorância ou mera negligência, deixa de fazer o esforço extra, ou qualquer esforço.

NAPOLEON HILL:

Essa é uma questão interessante, e aqui vai a resposta. A pessoa que negligencia o esforço básico, aquele pelo qual é paga, submete-se à lei dos retornos reduzidos e paga por sua tolice com a perda do emprego. Por outro lado, a pessoa que segue o hábito de Fazer o Esforço Extra descobre-se levada para cima pela escada do sucesso nas asas da lei dos retornos aumentados, que acaba por dar a compensação proporcional aos serviços que ela presta. Ela tem a primeira opção nos melhores empregos onde trabalha e recebe os melhores salários, ou o melhor. Além disso, quando a empresa vai mal e empregados são dispensados, ela raramente sente a lâmina do machado, se a sente, enquanto outros à sua volta que não seguem o hábito de Fazer o Esforço Extra são os primeiros a perderem o emprego. Esses fatos são tão conhecidos por todos que não é necessário oferecer mais provas de sua veracidade.

ALDERFER:

Sr. Hill, sua afirmação sobre a recompensa por Fazer o Esforço Extra nem sempre vir da fonte à qual o serviço foi prestado me intriga. Pode dar um exemplo que confirme essa afirmação?

NAPOLEON HILL:

Sim, existe um exemplo muito convincente, que envolve uma das experiências mais dramáticas de toda a minha carreira. O exemplo vai mostrar que a recompensa que recebi por ter feito o esforço extra estava quatro vezes afastada do ato da prestação do serviço. A história começou há quinze anos, quando procurei um amigo que tinha acabado de abrir uma grande cafeteria, mas descobri, tarde demais, que ele havia escolhido a localização errada, porque, quando as empresas próximas fechavam, todo mundo ia para casa, e ele não conseguia garantir movimento suficiente no jantar para sustentar sua cafeteria. Por causa de minha antiga amizade com esse homem, me ofereci para resolver seu problema fazendo uma série de palestras no estabelecimento todas as noites. Os eventos foram anunciados nos jornais, e recusamos centenas de pessoas na primeira noite e mantivemos o lugar cheiro todas as noites durante semanas depois disso.

Não cobrei pelo serviço, mas não paguei pelo jantar. Além disso, não tinha a intenção de obter nenhum benefício direto, porque era um trabalho de amor. Um frequentador regular dessas palestras era um alto funcionário de uma companhia de energia, e ele ficou tão impressionado com minha interpretação da filosofia que me convidou para falar em uma reunião especial dos executivos da área na região sul. Entenda, esse foi o primeiro passo na direção da recompensa que eu estava destinado a receber por Fazer o Esforço Extra.

Na reunião dos executivos da área de energia elétrica, fui apresentado a Homer Pace, vice-presidente da South Caroline Electric Power Company, que quis me apresentar ao Dr. Williams P. Jacobs, um distinto diretor de relações públicas na Carolina do Sul e presidente da Presbyterian College, de Clinton, Carolina do Sul.

Escrevi para o Dr. Jacobs, e ele foi me encontrar em Atlanta. Esse foi o segundo passo na direção de minha recompensa. Dr. Jacobs era dono de uma grande empresa de impressão e publicação e me convidou para ir encontrá-lo em Clinton, deixando claro que me ajudaria quando a ajuda fosse necessária. Aceitei o convite, e esse foi o passo número três na direção da minha recompensa.

Quando cheguei a Clinton, fui convidado a integrar o corpo docente da Presbyterian College e lá dei uma série de palestras. Esse foi o passo número quatro, e a recompensa chegou de maneira muito dramática quando conheci uma das alunas da minha turma, que me apresentou à irmã dela, que hoje é minha esposa, alguém que enriqueceu minha vida de maneiras que só podem ser avaliadas em termos de valores espirituais da mais profunda natureza. Ela trouxe felicidade à minha vida como eu jamais poderia ter conhecido sem sua influência, e tudo por causa de um serviço que prestei a um amigo sem esperar nenhum tipo de compensação.

ALDERFER:

Pelo que acabou de dizer, vejo como seria fácil perder de vista a compensação por Fazer o Esforço Extra quando a recompensa é tantas vezes afastada da prestação do serviço. Estou me perguntando se tanta gente desconsidera o valor do hábito de Fazer o Esforço Extra simplesmente porque a recompensa nem sempre segue imediatamente a prestação do serviço.

NAPOLEON HILL:

Sim, muita gente comete esse erro, e vou falar sobre outro erro igualmente grave que algumas pessoas cometem: praticar o hábito de Fazer o Esforço Extra unicamente com o propósito de colocar alguém sob algum tipo de obrigação para que possam reclamar uma recompensa maior do que têm direito a receber.

Vi um caso como esse quando era associado a R. G. LeTourneau como consultor de relações públicas. Foi durante a Segunda Guerra Mundial, quando os fabricantes de ferramentas eram muito escassos. Um dos ferramenteiros do Sr. LeTourneau foi procurá-lo um dia e se ofereceu para voltar por duas horas todas as tardes para ajudar e manter o fluxo do material de guerra. A oferta foi feita de tal maneira que deu a impressão de que ele prestaria esse serviço extra apenas para ajudar em uma crise e não esperava pagamento por isso. Imagine a surpresa quando, no fim da primeira semana, ele apresentou uma conta no valor de uma vez e meia o salário habitual para esse tipo de trabalho, porque tinha feito horas extras. Em vez de sua atitude engrandecê-lo aos olhos do Sr. LeTourneau, ela teve o efeito contrário, e mais tarde, quando a emergência terminou e foi recomendado um aumento de salário aos ferramenteiros, o nome desse homem foi omitido da lista dos favorecidos. Ele havia posto em movimento a lei dos retornos diminuídos e mais tarde foi demitido.

ALDERFER:

Sr. Hill, ouvi dizer que sua associação atual com o Sr. W. Clement Stone é resultado de sua decisão de seguir o hábito de Fazer o Esforço Extra. Poderia contar aos nossos ouvintes da rádio os detalhes de como isso aconteceu?

NAPOLEON HILL:

Sim, é verdade que minha associação com o Sr. Stone se deu como resultado direto de ter feito o esforço extra. Há cerca de três anos, quando eu estava em Chicago, fui convidado a fazer uma palestra para uma associação de dentistas. Aceitei o convite do Dr. Everett O. Hancock, um amigo meu em Salem, Illinois, sem compensação, por causa dessa amizade. Esse compromisso se mostrou um dos acontecimentos mais importantes da minha vida, porque o Sr. Stone compareceu à palestra. Durante o almoço que precedeu minha palestra, o Sr. Stone manifestou o desejo de unir forças comigo para tornar o sucesso disponível às pessoas deste e de outros países.

ALDERFER:

Estou começando a vislumbrar alguma coisa em seus comentários que me impressiona muito, a ideia de que a atitude mental com que se presta o serviço tem muito a ver com o efeito do serviço. Nos dois exemplos que acabou de dar sobre como aplicou esse princípio, notei que não havia egoísmo em sua atitude; serviu porque queria servir, não por esperar recompensa financeira ou de outro tipo.

NAPOLEON HILL:

Correto. Para encerrar este programa, quero deixar uma mensagem aos homens e às mulheres que trabalham por valores fixos ou salários. Lembrem-se de que a única justificativa possível para pedir aumento no pagamento ou promoção para uma posição melhor é o hábito de Fazer o Esforço Extra e prestar mais e melhor serviço do que é pago para fazer agora. É óbvio que, se não está fazendo mais do que aquilo que lhe pagam para fazer, você já está recebendo o pagamento a que tem direito. Para fornecer uma boa a razão para receber mais, você deve antes estabelecer o fato de que está merecendo pagamento maior, por Fazer o Esforço Extra.

ALDERFER:

Pela correspondência que recebemos de um grande número de ouvintes, constatamos que alguns gostariam de ter respostas no ar para seus problemas. Estaria disposto a abordar esses problemas de nossos interessados ouvintes no final deste programa?

NAPOLEON HILL:

Que bom que perguntou, porque tenho duas cartas muito interessantes que chegaram na semana passada e escolhi para este programa, uma de Peoria e outra de Milwaukee. Em uma delas, o autor explica seu problema e pede minha opinião. Ele diz: "Seu programa de domingo me pôs frente a frente com a fraqueza que tem me impedido de progredir há mais de dez anos. Sou vendedor e mudei de emprego uma vez por ano, em média, nessa última década. No momento, estou vendendo seguro de vida, mas não ganho o suficiente para atender às necessidades de minha família. Como posso aumentar minha renda e permanecer na área de vendas?".

Respondo com alegria, na esperança de ser útil a muitos outros que se dedicam às vendas. Em primeiro lugar, quero dizer que o grande lucro em vendas está no treinamento e no gerenciamento dos vendedores, onde praticamente não existe limitação para os rendimentos, se o indivíduo é qualificado para fazer um bom trabalho. O procedimento adequado para você seria fazer um bom curso em vendas e condicionar-se para se tornar professor da arte de vender. Então, organize um curso e ensine aos outros como ser vendedor e trabalhar sob sua liderança.

O ouvinte de Peoria quer saber como se pode escolher um objetivo definido na vida, e a resposta para isso é simples – é uma escolha que toda pessoa precisa fazer por si mesma, porque ninguém pode lhe dizer o que você deve querer ou a que ocupação deve se dedicar, não tão bem quanto você pode descobrir por si mesmo. O simples fato de o Criador ter lhe dado poder completo para direcionar a mente a quaisquer fins que desejar sugere, naturalmente, que você deve aprender a usar esse privilégio para tudo que é importante, em especial na escolha de um objetivo principal de vida. Seu objetivo principal na vida deve ser a coisa, posição ou circunstância que você quer acima de tudo. E você é o único que pode tomar essa decisão.

ALDERFER:

Ouvintes, vocês estão convidados a mandar suas perguntas e submeter problemas profissionais e pessoais à análise de Napoleon Hill. Ele vai escolher os que julgar representativos de problemas semelhantes de outros leitores em sua *Success School of the Air* e responder tantos quantos o tempo permitir. Perguntas envolvendo temas controversos, como política e religião, não serão respondidas.

Na próxima semana, o assunto de nossa discussão será o Princípio do MasterMind, e vamos revelar um método pelo qual você pode se tornar mais bem-sucedido do que é agora, simplesmente seguindo seus ensinamentos. Não percam, no próximo domingo.

SABEDORIA PARA VIVER

1. Ou desobedecemos a esse princípio de Fazer o Esforço Extra e sofremos as consequências, ou obedecemos a ele e colhemos as recompensas. A escolha é nossa!
2. Quando esse princípio começa a funcionar, acumula riquezas tão rapidamente que parece a lâmpada de Aladim, atraindo um exército de gênios que chega para ajudar quem o pratica, trazendo sacolas de ouro.
3. O pote de ouro no fim do arco-íris não é conto de fadas. O fim desse Esforço Extra é onde o arco-íris termina. E é aí que o pote de ouro está escondido.

ADVERSIDADE E VANTAGEM

1. A história do esforço e da dificuldade de Napoleon Hill no desenvolvimento da filosofia prática do sucesso foi construída não apenas com pesquisa, mas também com experiências de problemas da vida real. Hill não recebeu nenhuma compensação de Andrew Carnegie e continuou trabalhando durante vinte anos para desenvolver essa filosofia. Ele suportou dificuldades financeiras e críticas constantes da família e de amigos. Todo o seu padrão de vida foi determinado por um único ato demonstrando a disponibilidade para provar o valor de seus serviços, antes de estabelecer um preço para eles. Você pode se perguntar se foi compensador para Hill fazer o esforço extra durante vinte anos sem compensação. A resposta é óbvia.
2. Nenhum homem é um fracasso se cria uma única ideia, muito menos toda uma filosofia, que serve para amenizar as decepções e minimizar as dificuldades de futuras gerações.
3. Nenhum trabalho de amor é feito com total prejuízo, e quem presta mais e melhor serviço do que aquele pelo qual é pago, mais cedo ou mais tarde, recebe pagamento por mais do que realmente fez.
4. Se você já foi desestimulado, e se teve que enfrentar dificuldades que tiraram até sua alma, ou se tentou e fracassou, Fazer o Esforço Extra pode ser o "oásis no Deserto da Esperança Perdida que você está procurando". Como afirma Napoleon Hill, "Todo o poder do Universo se torna misteriosamente disponível" para quem faz o esforço extra.

CAPÍTULO 3

MASTERMIND

(O SEGREDO SUPREMO DE TODOS OS GRANDES SUCESSOS)

Realização nem sempre é sucesso, enquanto o chamado fracasso muitas vezes é. É dedicação honesta, esforço persistente para fazer o melhor possível em quaisquer e todas as circunstâncias.

– Orison Swett Marden

VISÃO GERAL

Se a falta de escolaridade formal, educação ou expertise tem sido um obstáculo para o planejamento e a conquista de seus objetivos, Napoleon Hill o orientará para superar isso.

Ele também vai:

- △ Ensinar como multiplicar seu poder mental.
- △ Despertar sua consciência para uma força dentro de você que é mais poderosa que a força de um átomo.
- △ Dar uma fórmula para gerar poder pessoal para realizar em um ano o que a maioria das pessoas realizaria em uma vida inteira.
- △ Mostrar um caminho para você se tornar um gênio.

Nas páginas a seguir, você vai descobrir como a falta de escolaridade ou conhecimento formal para planejar e alcançar seu objetivo não é mais um obstáculo para o sucesso. Você vai ser um sucesso comum sem a ajuda de outras pessoas; se quer ser um sucesso relevante, estude o texto com atenção, aplique o princípio e será um grande sucesso.

PROGRAMA 3. PRINCÍPIO DO MASTERMIND

ANUNCIANTE:

Boa tarde, senhoras e senhores. A *Radio School of the Air – Success Unlimited* está no ar. A famosa filosofia do sucesso de Napoleon Hill é trazida a vocês em treze programas semanais consecutivos. O de hoje é o terceiro da série. Napoleon Hill, cujos livros sobre sucesso são *best-sellers* no mundo todo, tem uma história longa e bem-sucedida. O tempo não vai me permitir apresentar essa história agora, mas a *School of the Air*, que você está ouvindo, segue os princípios do sucesso desenvolvidos por Napoleon Hill. Auxiliando o Sr. Hill temos Henry Alderfer, diretor associado de educação da *School of the Air*. Com vocês, o Sr. Alderfer.

ALDERFER:

Obrigado. Napoleon Hill vai interpretar para vocês o poder mágico do MasterMind, o princípio do sucesso por intermédio do qual você pode ter os benefícios da educação, experiência e influência de outras pessoas ao realizar seu objetivo principal na vida. O Princípio do MasterMind consiste na mistura de duas ou mais mentes em espírito de perfeita harmonia para a conquista de um objetivo definido. A ênfase está nessas duas palavras: perfeita harmonia. Ele vai fornecer exemplos convincentes que mostram como o Princípio do MasterMind elevou indivíduos a grandes alturas da realização pessoal e vai dizer a vocês que esse é um dos fatores mais importantes de toda grande realização. Senhoras e senhores, Napoleon Hill.

NAPOLEON HILL:

Boa tarde, meus amigos. Talvez a definição dada por Henry Alderfer para o princípio do MasterMind possa ser mais bem entendida se vocês souberem como um homem descobriu esse princípio por puro infortúnio e o usou para superar uma aflição física que teria detido o homem comum. Ele era um agricultor que ganhava pouco mais que a sobrevivência em uma pequena fazenda perto de Fort Atkinson, Wisconsin. Quando chegou à meia-idade, foi acometido por uma paralisia dupla e ficou totalmente incapacitado. Quando estava deitado na cama, ele fez uma descoberta profunda. Descobriu que dispunha da mente, não afetada pela paralisia, e começou a explorá-la. E descobriu nela uma ideia que o ajudaria a converter sua pequena fazenda em riquezas fabulosas.

Ele chamou a família para se reunir em torno de sua cama, contou sobre a descoberta que tinha feito e os instruiu, todos, a se juntarem a ele na aliança de MasterMind de que precisava para transformar sua ideia em dinheiro. Ele disse: "Quero que plantem milho em cada acre de nossas terras; depois, comecem a criar porcos com esse milho, e vamos matar esses porcos ainda jovens e transformá-los em pequenas linguiças de porco". Esse homem era Milo C. Jones e viveu para ver sua ideia e a aplicação do Princípio do MasterMind o levarem a uma imensa fortuna, porque suas linguiças Little Pig se tornaram conhecidas em toda a América.

ALDERFER:

Sr. Hill, Thomas A. Edison também não transformou uma deficiência em grande vantagem pela aplicação desse Princípio do MasterMind?

NAPOLEON HILL:

Sim, depois que o jovem Thomas Edison frequentou a escola por apenas três meses, a professora o mandou para casa com um bilhete para os pais, no qual ela dizia que o menino tinha a mente embotada e não conseguia assimilar os ensinamentos. Essa experiência humilhante teve um efeito profundo em Edison, levando-o a começar a explorar a própria mente com a intenção de tentar descobrir o que a professora queria dizer com a palavra "embotada". Nessa busca pela causa do problema, que o privou de uma escolaridade formal, Edison descobriu o portal para sua fonte de inspiração, que fez dele um dos maiores inventores de todos os tempos. Apesar da falta de educação formal, ele escolheu uma ocupação na qual precisava empregar muitas ciências, embora não soubesse nada sobre elas. Ele supriu essa deficiência usando o cérebro e a educação de homens que haviam recebido treinamento científico, o mesmo procedimento adotado por todos que alcançam grande sucesso, seja qual for a área a que se dediquem.

ALDERFER:

Sr. Hill, antes de continuar fornecendo mais exemplos de realização bem-sucedida pela aplicação do Princípio do MasterMind, talvez os ouvintes queiram ouvir uma explicação sobre a diferença entre esse princípio e coordenação comum de esforços, conhecida como cooperação.

NAPOLEON HILL:

Essa é uma boa sugestão, Henry. A principal diferença entre o Princípio do MasterMind e a cooperação comum é que o trabalho conjunto de duas ou mais mentes em espírito de perfeita harmonia eleva o poder mental de cada um dos indivíduos a um nível no qual se pode recorrer às forças espirituais do Universo. Coordenação comum de esforços entre indivíduos, que todos chamamos de cooperação, não os eleva a esse nível espiritual superior de poder de pensamento.

ALDERFER:

Pode ser útil aos nossos ouvintes se você dividir esse princípio do MasterMind e o descrever passo a passo.

NAPOLEON HILL:

Há diversos fatores pelos quais o Princípio do MasterMind pode ser descrito. Por exemplo, o Princípio do MasterMind é o meio pelo qual é possível assegurar os plenos benefícios da experiência, o treinamento, o conhecimento especializado e a influência de outras pessoas tão completamente quanto se as mentes de todos fossem, na verdade, de um só. Por exemplo, pela experiência e educação de um geólogo, pode-se entender a estrutura da terra sem ter educação formal em geologia. Pela experiência e educação do químico, pode-se fazer uso prático da química, como fez Thomas Edison. Uma aliança ativa de duas ou mais mentes trabalhando juntas pela realização de um propósito definido estimula cada mente individual a um padrão mais elevado de vibração e condiciona a mente a sintonizar a Inteligência Infinita e entrar em contato com ela por meio daquele estado mental conhecido como fé.

Uma aliança de MasterMind, conduzida de maneira apropriada, estimula cada mente na aliança com entusiasmo, iniciativa pessoal, imaginação e capacidade para uma crença que vai muito além de qualquer coisa que o indivíduo possa experimentar quando age sozinho. Para ser eficiente, uma aliança de MasterMind precisa ser ativa. A simples associação de mentes não é suficiente. Elas precisam se dedicar à busca de um objetivo definido e se mover em perfeita harmonia. Não ignore a palavra "perfeita". Sem o fator da perfeita harmonia, a aliança pode não ser mais que cooperação comum, o que é muito diferente do poder do MasterMind. A aliança de MasterMind dá ao indivíduo pleno acesso aos poderes espirituais de seus associados na aliança. É fato documentado que todo sucesso individual em que o indivíduo supera a mediocridade é alcançado pela aplicação do Princípio do MasterMind, não só pelo esforço individual.

ALDERFER:

Pelo que disse, Sr. Hill, deduzo que um MasterMind em operação é algo como uma mesa-redonda. Muitos de nós já vimos que, quando um grupo de pessoas começa a discutir qualquer assunto em um clima de amizade, surgem ideias que nenhum dos indivíduos poderia ter criado sozinho.

NAPOLEON HILL:

Sim, você está bem próximo da essência central do Princípio do MasterMind, mas precisa lembrar que uma operação de MasterMind também eleva o poder mental de todos os indivíduos no grupo e lhes dá livre acesso aos poderes espirituais que não estão disponíveis para eles quando atuam sozinhos. Autoridades respeitadas do cristianismo expressaram a crença de que o Nazareno e seus doze discípulos constituíram a primeira aplicação conhecida do Princípio do MasterMind, e isso explicava a fonte dos poderes milagrosos do Mestre. De uma coisa tenho muita certeza: homens e mulheres podem realizar milagres pelo Princípio do MasterMind, porque isso já foi provado.

ALDERFER:

Você tem algumas históricas de caso bem interessantes sobre indivíduos que alcançaram sucesso relevante aplicando esse Princípio do MasterMind. Pode contar algumas para os nossos ouvintes?

NAPOLEON HILL:

Sim. Aqui vai um exemplo de como o Princípio do MasterMind, aplicado por um homem e sua esposa, foi responsável pela construção de um império industrial que hoje vale mais de um bilhão de dólares. O casal a que me refiro é Henry Ford e sua esposa.

ALDERFER:

Que interessante. Nunca soube que a Sra. Ford tivesse se envolvido de maneira ativa na construção do império industrial Ford.

NAPOLEON HILL:

Ela não foi ativa do ponto de vista do conhecimento público, mas nos bastidores foi muito ativa, e sem ela Henry Ford não teria alcançado o sucesso fenomenal que conquistou. A influência da Sra. Ford sobre Henry Ford se fez notar pela primeira vez quando ele estava trabalhando no primeiro modelo de seu automóvel. Ele precisava de algumas peças, que foram encomendadas em uma fundição local. Quando foi buscar as peças, ele disse ao dono da fundição que não tinha o dinheiro para pagar por elas, mas que voltaria e pagaria os US$ 30 no fim do mês. O dono da fundição não era bobo. Ou era? Porque disse a Henry Ford que ele não poderia levar as peças antes de pagar. Quando Ford voltou para casa e contou à esposa que não tinha conseguido crédito, a Sra. Ford respondeu: “Bem, Henry, temos uma conta de economias que pretendíamos usar para comprar uma casa. Vá ao banco e saque os

US$ 30 dessa conta". "Não", respondeu Ford. "Prometemos um ao outro que não gastaríamos esse dinheiro em nada que não fosse uma casa." "Quem falou em gastar?", a Sra. Ford retrucou. "Estou dizendo para você ir ao banco e sacar os US$ 30 da conta como um empréstimo. Afinal, vamos ter esse dinheiro de volta quando você receber o cheque do seu salário, não é, Henry?"

ALDERFER:

O que aconteceu com o dono da fundição que recusou crédito ao Sr. Ford?

NAPOLEON HILL:

Conheci esse cavalheiro muitos anos mais tarde, e ele me disse que, até onde podia avaliar, cada palavra que usou para recusar crédito ao Sr. Ford custou a ele um milhão de dólares, porque, se tivesse posto as instalações de sua fundição à disposição do Sr. Ford naquela época, poderia ter um valor considerável em ações da companhia de automóveis Ford.

Durante os primeiros dias de Henry Ford, ele era um tipo de homem acanhado, introvertido, e era a Sra. Ford quem lhe dava a aliança de MasterMind de que precisava para desenvolver a impressionante coragem e determinação que exibiu posteriormente.

ALDERFER:

Também li que o Sr. e a Sra. Thomas Edison trabalharam juntos sob o Princípio do MasterMind.

NAPOLEON HILL:

Sim, é verdade, e ouvi a Sra. Edison dizer que, mesmo que o Sr. Edison ficasse no trabalho até muito tarde, ela sempre o esperava em casa acordada e conversava com ele sobre como tinha sido o dia. E ouvi o Sr. Edison dizer que a influência da esposa durante essas discussões de MasterMind frequentemente o levou a descobrir fatos que ele procurava em seu trabalho.

Embora não seja nada muito conhecido, não há dúvida de que a aliança de MasterMind entre Abraham Lincoln e sua madrasta foi um forte fator no desenvolvimento e na revelação ao mundo das profundas e permanentes qualidades espirituais a que o Sr. Lincoln tanto recorreu ao longo da vida.

ALDERFER:

Pelo que disse, tenho a impressão de que existe alguma característica na aliança de MasterMind entre um homem e sua esposa que pode não estar presente nas alianças de MasterMind comerciais ou profissionais entre homens.

NAPOLEON HILL:

Você tem razão, e a característica a que se refere é a qualidade espiritual do amor. Notei que, sempre que existe esse relacionamento entre um homem e sua esposa, ele é próspero e bem-sucedido em seus negócios ou em sua ocupação, além de feliz e senhor de seus medos e preocupações.

ALDERFER:

Não é verdade que nossa nação foi concebida, nasceu e agora existe como resultado da aplicação do Princípio do MasterMind?

NAPOLEON HILL:

É absolutamente verdade, e é bom nos lembrarmos da disposição de sacrifício e perfeita harmonia com que 56 homens corajosos arriscaram a vida e suas fortunas ao assinarem a Declaração de Independência; pois eles bem sabiam que esse documento poderia se tornar sua sentença de morte se a rebelião que o seguiu fracassasse. Nosso grande estilo de vida americano e nosso sistema de livre-iniciativa, com toda a liberdade e as riquezas que nos permitiram, são símbolos do poder mágico do MasterMind.

ALDERFER:
Sr. Hill, já que desenvolveu um trabalho muito próximo com dois ex-presidentes dos Estados Unidos, talvez possa descrever como eles aplicaram o Princípio do MasterMind na conduta de seus gabinetes.

NAPOLEON HILL:
Para começar, note que o presidente e seu gabinete constituem a mais poderosa aliança de MasterMind que existe em qualquer lugar do mundo hoje, e seu propósito é garantir prosperidade e liberdade individual ao nosso povo e, em certa medida, ao povo do mundo inteiro.

No início do primeiro mandato de Franklin D. Roosevelt como presidente, ele deteve e, aos poucos, reverteu a pior explosão de medo coletivo que jamais conhecemos, pela aplicação do Princípio do MasterMind. Havia várias pessoas e instituições importantes que o presidente usou para formar sua aliança de MasterMind. Elas incluíam os membros de seu gabinete; as duas casas do Congresso trabalhando em perfeita harmonia com o presidente, quaisquer que fossem suas afiliações políticas; a maioria dos jornais e estações de rádio do país, que transmitiam as declarações presidenciais ao povo; os líderes religiosos da nação, independentemente de sua denominação; os líderes dos dois principais partidos políticos; e finalmente, mas não menos importante, a maioria do povo dos

Estados Unidos, independentemente de raça, credo ou inclinações políticas. Essa foi uma aliança de muitos milhões de pessoas que uniram forças com o presidente dos Estados Unidos, no aspecto físico e espiritual, dando a ele um poder como essa nação nunca tinha visto antes, e isso foi suficiente para recuperar a fé em nosso estilo de vida americano e em nosso sistema de livre-iniciativa, que é a essência de nossa economia.

ALDERFER:

Tenho certeza de que nossos ouvintes querem saber como podem ter o benefício do Princípio do MasterMind na busca de seus objetivos de vida.

NAPOLEON HILL:

Primeiro, adote um objetivo definido a ser alcançado por sua aliança de MasterMind. Depois escolha membros da aliança cujas educação, experiência, influência e atitude mental sejam tais que façam de seus aliados os mais valiosos para ajudá-lo a alcançar seu objetivo. Terceiro, determine que benefício apropriado cada membro da sua aliança de MasterMind deve receber por suas atividades na aliança, lembrando que ninguém nunca faz nada sem um motivo adequado. Quarto, estabeleça um plano definido pelo qual cada membro da aliança de MasterMind contribua com o trabalho para a conquista do objeto da aliança. Quinto, arranje um horário e um local definidos para a discussão da operação do plano. Mantenha meios de contato regular entre você e todos os membros de sua aliança. Sexto, é responsabilidade do líder de um grupo de MasterMind cuidar para que a harmonia prevaleça entre todos os membros e para que seja mantida ação constante voltada à conquista do objeto da aliança.

ALDERFER:

Sr. Hill, qual foi a aliança de MasterMind mais poderosa de que já teve conhecimento?

NAPOLEON HILL:

A aliança conduzida por Franklin D. Roosevelt, que acabou de ser descrita, foi a mais poderosa que conheci neste país, mas o falecido Mahatma Gandhi, da Índia, teve uma aliança com mais de duzentos milhões de pessoas de seu povo, algo tão poderoso que permitiu a ele, com o passar do tempo, libertar a Índia do domínio britânico sem a força de armas. Isso dá uma ideia do poder que se pode ter ao entender como operar o Princípio do MasterMind.

Os homens no comando de governos totalitários também mantinham uma aliança de MasterMind muito poderosa, mas estavam fadados ao fracasso, porque sua aliança não tinha o propósito de libertar pessoas, mas sim de roubá-las de seus direitos e escravizá-las. A história da humanidade é repleta de evidências inconfundíveis de que o Criador quis o homem como um agente livre, vivendo a própria vida à sua maneira. A melhor prova disso é que nenhum conquistador mundial autoindicado jamais viveu para ver sua ambição realizada. Lembre-se de que quaisquer atos de seres humanos, sejam de indivíduos ou grupos, que não estejam em harmonia com o plano geral do Universo devem resultar em fracasso.

ALDERFER:

Sr. Hill, onde está a maior oportunidade para homens e mulheres se beneficiarem da aplicação desse Princípio do MasterMind?

NAPOLEON HILL:

O lugar onde o MasterMind mais é necessário é em casa, onde ele deve ser o meio para fortalecer a relação entre homem e mulher e todos os outros membros da família. Há sempre prosperidade e felicidade nos lares onde esse princípio é seguido fielmente. Lares, como pessoas, têm personalidades individuais que refletem a atitude mental e o relacionamento de quem mora neles. Onde quer que o MasterMind prevaleça em uma casa, o lugar vibra com felicidade e sucesso que inspira todos os membros da família.

ALDERFER:

Isso não vale também para ambientes comerciais?

NAPOLEON HILL:

Sim, e há muitas pessoas que são tão sensíveis às vibrações dos lugares que podem reconhecer imediatamente, ao entrarem em um ambiente comercial, que tipo de pessoas fazem negócios ali. Ralph Waldo Emerson disse: "Todo negócio é a sombra estendida de um homem". E essa sombra estendida, seja ela negativa ou positiva, não é mais que a soma do tipo de pensamento que esse homem inspira em seus colaboradores. Se Emerson estivesse falando hoje, ele teria que mudar o enunciado de sua declaração dizendo que todo negócio é a sombra estendida de um homem ou uma mulher, porque as mulheres estão ocupando seus lugares ao lado dos homens nesses tempos modernos de privilégios iguais para todos.

ALDERFER:

Sr. Hill, não há algumas referências na Bíblia que indicam claramente que a mistura de duas ou mais mentes em uma disposição de harmonia pode ser a chave que abre a porta para o poder ilimitado da mente universal?

NAPOLEON HILL:

Sim, existe uma passagem na Bíblia: Mateus, capítulo dezoito, versículo dezenove: se dois de vós concordarem na Terra em qualquer assunto sobre o qual pedirem, isso lhes será feito por meu Pai, que está nos céus. Também há outras referências na Bíblia que levariam o indivíduo à conclusão de que o Princípio do MasterMind tem conotações mais profundas relacionadas aos poderes da oração.

ALDERFER:

O que acontece em uma empresa ou qualquer outra organização cujos proprietários ou diretores deixam de se relacionar com os colaboradores sob esse Princípio do MasterMind?

NAPOLEON HILL:

Suponho que faça essa pergunta a fim de enfatizar um ponto, porque sabe que atritos nos níveis superiores de administração levam mais negócios à falência que quaisquer outras causas combinadas. R. G. LeTourneau disse que o atrito no maquinário de suas quatro grandes fábricas custou a ele milhões de dólares anualmente, mas que isso não foi nada comparado ao custo do atrito no relacionamento entre empregados. Podemos dar um passo adiante e citar outro grande industrial que disse recentemente que o atrito entre administração e líderes dos trabalhadores, se seguir a tendência atual, pode ser o meio para a destruição do sistema americano de livre-iniciativa.

ALDERFER:

O custo do atrito nas relações humanas é mensurável apenas em termos monetários, ou há outros fatores que afetam indivíduos que não se relacionam uns com os outros de maneira harmoniosa?

NAPOLEON HILL:

Paz de espírito e atitude mental são afetadas por atritos nas relações humanas. É quase impossível alguém que não é feliz preservar boa saúde. Médicos de renome dizem que úlceras gástricas são resultado de mentes perturbadas, então, vê-se que o custo do atrito nas relações humanas é mensurável em coisas que não podem ser avaliadas em termos financeiros. Além disso, a pessoa que vai orar com a mente cheia de ódio, medo, inveja e dúvida sempre sai da oração de mãos vazias. Portanto, é óbvio que o Princípio do MasterMind, baseado em harmonia e coordenação amistosa de esforços entre pessoas, é o fator mais importante nas relações humanas.

ALDERFER:

Agora começo a ver por que você defende com tanta veemência a adoção do relacionamento de MasterMind entre pessoas casadas. Porque é óbvio, pelo que você disse, que nem as orações em família são eficientes onde harmonia e paz de espírito não prevalecem no relacionamento familiar.

Agora vamos responder às questões que você, nosso ouvinte, mandou por carta, inspirado pelos programas anteriores. Napoleon Hill vai escolher as perguntas que serão respondidas neste programa a cada semana. A primeira para hoje, Sr. Hill, vem de Indianápolis, e o remetente é um cavalheiro que diz: "Estou empregado e ocupo um cargo em que não tenho permissão para fazer o esforço extra; se tentasse, seria demitido. Como posso superar esse problema?". Qual é sua resposta?

NAPOLEON HILL:
Você deve a si mesmo encontrar um emprego em que possa exercer o privilégio de progredir aumentando a quantidade e a qualidade do serviço que presta. É óbvio que deve procurar outra posição em que seja recompensado, não penalizado, por fazer o esforço extra, porque esse é o único jeito de se promover a um estilo de vida melhor.

ALDERFER:
A pergunta seguinte é de um mecânico de Milwaukee. Ele diz: "Aperfeiçoei um aparelho para ser conectado ao carburador e economizar até 10% do combustível usado em um automóvel. Mantive esse equipamento no meu carro por seis meses, e ele funciona perfeitamente. Como posso protegê-lo e colocá-lo no mercado?".

NAPOLEON HILL:
A primeira coisa que deve fazer é procurar um advogado de patentes e pedir a ele para cuidar disso, se seu equipamento é inteiramente novo. Depois que tiver a patente, ou enquanto o pedido estiver pendente, veja se consegue encontrar um fabricante local para produzir e comercializar o produto por você, mas deixe isso nas mãos de empresários experientes que tenham o *know-how* e o capital para fazer tudo direito.

ANUNCIANTE:
Obrigado, Sr. Hill. Nosso tempo acabou. Senhoras e senhores, vocês acabaram de ouvir Napoleon Hill, o homem que deu ao mundo sua primeira filosofia prática de realização pessoal. Como o Sr.

Hill disse, o propósito da *Success School of Air* é inspirar pessoas com ideias que elas possam usar para progredir e ter mais sucesso. Sintonizem a rádio novamente no próximo domingo, quando o Sr. Hill vai falar sobre as três principais causas de fracasso.

SABEDORIA PARA VIVER

1. Uma Providência onisciente arranjou o mecanismo da mente de forma que nenhuma seja completa. Riqueza mental, em seu sentido mais pleno, vem da aliança harmoniosa de duas ou mais mentes trabalhando pela realização de algum objetivo definido.
2. Psicólogos dizem que duas mentes jamais entraram em contato sem que tenha nascido dessa associação uma terceira mente intangível, de poder maior que o das outras duas. Isso é tão imutável quanto a lei da gravidade, que mantém estrelas e planetas em seus lugares.
3. O poder da mente humana não é menos que milagroso quando unido a outras mentes em harmonia e com um objetivo definido.
4. O MasterMind é a forma mais elevada de esforço criativo conhecida atualmente pela humanidade, e seu potencial desafia a imaginação.
5. Talvez esteja no MasterMind a resposta para problemas relativos à paz mundial e outras dificuldades que assolam a humanidade.

ADVERSIDADE E VANTAGEM

1. A aliança de MasterMind cria um estado mental que o capacita a enfrentar perigo e dificuldades com firmeza, resolução e coragem. É realmente uma forma de poder mental que vem da autoconfiança e da consciência de sucesso.
2. Um grupo de baterias recarregáveis vai fornecer mais energia que uma única bateria. Essa comparação é válida com a mente e leva à importante conclusão de que um grupo de mentes coordenadas em espírito de harmonia vai fornecer mais energia de pensamento do que uma só mente para enfrentar qualquer dificuldade ou desafio.

CAPÍTULO 4

AS TRÊS PRINCIPAIS CAUSAS DE FRACASSO

(NOSSA MAIOR BÊNÇÃO PODE SER NOSSO MAIOR SOFRIMENTO)

Fracasso não é nada mais que uma mão bondosa, invisível, que o detém no caminho que você escolheu e, com grande sabedoria, o obriga a redirecionar seus esforços para caminhos mais vantajosos.

– *Napoleon Hill*

VISÃO GERAL

Você já se perguntou por que algumas pessoas, diante de adversidade ou derrota, simplesmente desmoronam ou se tornam vítimas, enquanto outras são fortalecidas?

Nesta lição, você aprende que toda derrota, toda decepção e toda adversidade carregam com elas a semente de um benefício equivalente ou maior. Você vai descobrir respostas para essas importantes questões:

- △ Por que fracasso é uma derrota temporária e normalmente uma bênção disfarçada?
- △ Por que a derrota só é uma força destrutiva quando você a aceita?
- △ Como os fracassos o guiam para o que você realmente ama?

Com o conhecimento e os conceitos neste capítulo, sua nova atitude em relação à derrota pode se mostrar um verdadeiro ponto de transformação em sua vida.

PROGRAMA 4. AS TRÊS PRINCIPAIS CAUSAS DE FRACASSO

ANUNCIANTE:

A *Success Unlimited School* está no ar e apresenta Napoleon Hill, que vai trazer para vocês mais um programa dinâmico que pode colocá-los no caminho para um estilo de vida mais próspero e melhor. Dizem que Napoleon Hill fez mais homens e mulheres mais bem-sucedidos que qualquer outra pessoa viva, e seus livros sobre sucesso são *best-sellers* em todos os países do mundo. No programa de hoje, o Sr. Hill vai descrever as três principais causas do fracasso. Com o Sr. Hill no programa de hoje temos Henry Alderfer, o diretor associado de educação do Napoleon Hill Institute. Sr. Alderfer.

ALDERFER:

Sr. Hill, enquanto nossa *Success School of the Air* apresenta uma fórmula de sucesso que as pessoas podem adotar no trabalho e no lazer, no emprego e em casa, você vem descrevendo e vai descrever os princípios de sucesso que devem ser seguidos por nossos ouvintes. Já que está dizendo aos nossos ouvintes o que eles devem fazer para alcançar o sucesso, pode dizer também o que nossos amigos não devem fazer?

NAPOLEON HILL:

Sim! E vamos começar nosso programa hoje descrevendo as três causas mais comuns de fracasso. Você vai observar que esses três obstáculos podem ser transformados em degraus para o sucesso pela adoção das regras apresentadas nesses programas da *Success School of Air*.

Causa de fracasso número um: incapacidade de se dar bem com outras pessoas. Independentemente de quanto você possa ser bem-educado, ou quanta responsabilidade tenha no trabalho, ou quanto dinheiro possua, se não consegue induzir as pessoas a gostarem de você, se não consegue se dar bem com todos os tipos de pessoas sob todas as circunstâncias, você nunca vai poder se tornar um grande sucesso em nenhuma empreitada. O primeiro passo para fazer as pessoas gostarem de você é começar a gostar delas e expressar essa simpatia no tom de voz, com um sorriso agradável quando estiver falando com os outros e um desejo sincero de lhes ser útil, mereçam eles ou não.

Causa de fracasso número dois: o hábito de desistir quando avançar fica difícil. Não importa quem você é ou quanto é habilidoso em sua ocupação, haverá momentos em que as dificuldades vão aparecer, e circunstâncias desagradáveis vão se impor e fazer você querer desistir. Se ceder facilmente a esses obstáculos, é melhor desistir de vez de ser um grande sucesso. Mas, presumindo que você siga as regras apresentadas neste programa, quando encontrar qualquer tipo de oposição, em vez de desistir você vai recorrer a mais força de vontade, alimentar uma fé mais forte em sua própria capacidade e decidir que, aconteça o que acontecer, você não vai se entregar.

Tive um dos momentos mais vibrantes de minha vida quando Thomas Edison me disse como ele reagiu ao fracasso enquanto estava tentando aperfeiçoar a lâmpada elétrica incandescente. Antes de encontrar a solução para o problema, ele experimentou mais de dez mil ideias diferentes, cada uma delas um fracasso. Pense nisso! Um homem insistindo com a fé inabalada durante dez mil fracassos e finalmente coroado pela vitória. Um fracasso é suficiente para fazer a pessoa comum desistir. Talvez por isso existam tantas pessoas comuns e só um Thomas Edison.

Causa de fracasso número três: procrastinação – incapacidade para tomar decisões com prontidão e definição. O hábito de esperar que alguma coisa benéfica aconteça, em vez de se ocupar e fazer alguma coisa acontecer. Toda pessoa bem-sucedida nas esferas mais elevadas da vida adquire o hábito de criar circunstâncias e oportunidades favoráveis a ela mesma, em vez de aceitar o que a vida oferece.

ALDERFER:

Pode dizer o que acontece com a pessoa que deixa de avançar por iniciativa própria e aceitar a oportunidade quando ela se apresenta?

NAPOLEON HILL:

Sim, posso dar um exemplo maravilhoso dos custos de indecisão e procrastinação. Há alguns anos, uma das grandes fabricantes de automóveis decidiu começar um extenso programa de expansão. O presidente da companhia chamou cem jovens dos vários departamentos da fábrica e disse a eles: "Cavalheiros, vamos expandir nossa empresa e aumentar muito a produção de automóveis, o que significa que vamos precisar de executivos e gerentes de departamento em números muito maiores do que temos atualmente em nossa equipe. Estamos oferecendo a cada um de vocês o privilégio de trabalhar quatro horas por dia no escritório, onde vão aprender a se tornar executivos, e quatro horas em sua função habitual na fábrica. Vai haver dever de casa para fazer à noite, e pode haver momentos quando terão que abrir mão de seus deveres sociais para fazer hora extra. O salário continua sendo o mesmo que recebem na fábrica. Vou distribuir cartões nos quais cada um que aceitar a oferta deve escrever seu nome, e terão uma hora para conversar entre vocês e tomar a decisão".

ALDERFER:
É claro que todos eles aceitaram a oportunidade?

NAPOLEON HILL:
Não! Quando o presidente da empresa pegou os cartões de volta, ele teve uma das maiores surpresas de sua vida. Só 23 dos cem aceitaram a proposta. Mas no dia seguinte, outros trinta homens foram ao escritório do presidente para dizer que tinham decidido aceitar a oferta, e alguns explicaram que haviam tomado essa decisão depois de discutir o assunto com a esposa.

ALDERFER:
O que aconteceu com esses trinta?

NAPOLEON HILL:
O presidente disse: "Cavalheiros, tiveram uma hora para considerar a oferta e tomar uma decisão. Lamento, mas perderam essa oportunidade para sempre, porque aprendi com a experiência que o homem que não consegue ou não quer tomar uma decisão definitiva rapidamente quando tem todos os fatos necessários para isso vai mudar de ideia ao primeiro sinal de obstáculos, ou vai se deixar convencer por outras pessoas a mudar de ideia".

ALDERFER:
Sr. Hill, existe uma história impressionante em seu relacionamento com Andrew Carnegie que mostra o que prontidão de decisão pode fazer para que se aproveitem oportunidades favoráveis. Tenho certeza de que nossos ouvintes querem que descreva sua experiência, destinada a beneficiar não só você mesmo, mas também milhões de homens e mulheres no mundo.

NAPOLEON HILL:

Essa experiência que você mencionou aconteceu há mais de quarenta anos, quando conheci Andrew Carnegie, o grande industrial que fundou a United States Steel Corporation. Fui procurar o Sr. Carnegie para escrever para uma revista uma matéria sobre sucesso com base em suas estupendas realizações. Ele me concedeu três horas de entrevista, de início, mas esse encontro acabou durando três dias e três noites, e nesse tempo ele também me entrevistou com um objetivo em mente, sem que eu soubesse o que ele estava fazendo. Durante aqueles três dias, ele me disse que o mundo precisava de uma nova filosofia de sucesso, organizada e escrita, que daria ao homem ou à mulher comum o pleno benefício de tudo que ele e outros homens de sucesso tinham aprendido ao longo de uma vida de experiência. Ele disse que era um pecado de grandes proporções que homens bem-sucedidos deixassem sua experiência conquistada com tantas dificuldades ser enterrada com seus ossos.

No fim do terceiro dia, o Sr. Carnegie disse: "Estive falando com você durante três dias sobre a necessidade de uma filosofia prática do sucesso. Agora vou fazer uma pergunta e quero que responda com um simples sim ou não, mas não responda até tomar uma decisão definitiva. Se eu pedir para você organizar a primeira filosofia prática do sucesso, vai dedicar vinte anos à pesquisa e às entrevistas com pessoas bem-sucedidas, e vai ganhar seu sustento paralelamente, sem nenhum subsídio financeiro meu? Sim ou não?".

ALDERFER:

É claro, você disse sim, porque, de outra maneira, não estaríamos aqui hoje neste programa, certo?

NAPOLEON HILL:

Eu disse: "Sim, Sr. Carnegie, aceito sua proposta, e pode contar comigo para cumprir essa tarefa". O Sr. Carnegie respondeu: "Muito bem, a tarefa é sua, e gosto da atitude mental com que a aceitou". Aprendi alguns anos depois que o Sr. Carnegie segurava um cronômetro embaixo da mesa e tinha me dado sessenta segundos para decidir, depois de ter me concedido três dias inteiros para recolher os fatos.

ALDERFER:
Quantos desses preciosos segundos usou antes de dar sua resposta?

NAPOLEON HILL:
Exatamente 29 segundos. Isso deixou uma margem de 31 segundos entre mim e uma oportunidade que, provavelmente, nenhum outro autor teve. Mais tarde eu soube que o Sr. Carnegie tinha feito com outras 250 pessoas o mesmo teste a que me submeteu, e todas foram reprovadas por não terem tomado a decisão prontamente. O Sr. Carnegie disse que o tempo necessário para a maioria dessas 250 pessoas tomar uma decisão variou de três horas a três anos.

ALDERFER:
Por que o Sr. Carnegie dava tanta importância à questão da decisão rápida?

NAPOLEON HILL:
Ele explicou que não se pode contar com alguém para cumprir tarefas importantes ou assumir grandes responsabilidades sem que essa pessoa tenha o hábito de tomar decisões rápidas e definitivas. No meu caso, o Sr. Carnegie também procurava outra qualidade, sem a

qual sabia que eu nunca enfrentaria os vinte anos de pesquisa necessários para descobrir o que faz homens e mulheres bem-sucedidos.

ALDERFER:

Que qualidade era essa?

NAPOLEON HILL:

O hábito de aumentar a força de vontade, em vez de desistir diante de dificuldades. O Sr. Carnegie sabia que há sempre um tempo, em toda empreitada, quando enfrentamos obstáculos e oposição, e ele sabia que quem desiste nunca vence, e o vencedor nunca desiste.

ALDERFER:

Qual foi seu maior obstáculo durante esses vinte anos de pesquisa para organizar a filosofia do sucesso que o tornou famoso no mundo todo?

NAPOLEON HILL:

Meu maior obstáculo foi a atitude de amigos e familiares que acreditavam que eu havia assumido uma tarefa grande demais. E eles me criticavam por trabalhar para o homem mais rico do mundo durante vinte anos sem receber dele nenhuma compensação financeira. Uma das características estranhas da maioria das pessoas, especialmente parentes, é que frequentemente desestimulam qualquer membro da família que se destaca da multidão e aspira alcançar sucesso relevante.

ALDERFER:

Como conseguiu se manter animado e preservar sua fé por tanto tempo diante da oposição dos familiares?

NAPOLEON HILL:

Não fiz isso sozinho. Tive a ajuda de uma aliança de MasterMind com duas pessoas que me deram incentivo quando as dificuldades apareceram. Essas pessoas foram o Sr. Carnegie, meu padrinho, e minha madrasta, única pessoa da família que acreditou que eu enfrentaria os vinte anos de dificuldades. Um dos grandes milagres das relações humanas está no poder de sobrevivência, que se pode adquirir por intermédio de uma aliança amigável com uma ou mais pessoas.

ALDERFER:

Conseguiu ajuda de outros homens bem-sucedidos, além do Sr. Carnegie, enquanto estava organizando a filosofia do sucesso?

NAPOLEON HILL:

Ah, sim! E se não houvesse conseguido, não estaríamos aqui hoje. Durante minha associação com o Sr. Carnegie, não houve praticamente ninguém de sucesso relevante que não tenha cooperado comigo fornecendo uma porção daquilo que se tornou a ciência do sucesso. Mas aprendi um fato muito interessante sobre as pessoas enquanto me esforçava para completar meu trabalho e receber reconhecimento por ele. Aprendi que, quando alguém precisa muito de alguma coisa, é difícil para essa pessoa encontrar outra que queira ajudá-la a conseguir essa coisa. Mas quando se supera essa dificuldade e conquista reconhecimento e dinheiro, e quando não se precisa mais de ajuda, quase todo mundo quer fazer alguma coisa para ajudar.

ALDERFER:

Não tem alguma coisa na Bíblia que corrobora o que você acabou de dizer?

NAPOLEON HILL:

Sim, tem, e embora não me atreva a fazer uma citação literal, é mais ou menos assim: "Àquele que tem, será dado; e ao que não tem, até o que tem lhe será tirado". Na primeira vez que li essa passagem na Bíblia, questionei o sentido dela, mas as experiências sérias de meus últimos anos provaram de maneira conclusiva que essa é uma característica da humanidade. Ninguém quer ser associado ou colaborar com um fracasso, enquanto quase todo mundo vai se esforçar para ajudar quem não precisa de ajuda. Isso é explicado pela lei da atração entre semelhantes.

Agora quero chamar sua atenção para o fato de todo fracasso, toda adversidade e toda circunstância desagradável carregarem em si a semente de um benefício ou uma vantagem equivalente. A pessoa que tem uma filosofia sólida para orientar sua vida aprende rapidamente como encontrar essa semente de benefício equivalente e como a fazer germinar em uma vantagem. Em relação à sorte, talvez seja verdade que muitas vezes ela desempenhe um papel temporário na vida das pessoas. Mas lembre-se desta verdade: se a sorte traz derrota ou fracasso temporário, não é preciso aceitar isso como permanente, e, ao procurar essa semente de um benefício equivalente, pode-se transformar um fracasso em sucesso duradouro.

ALDERFER:

Pode dar um exemplo de que adversidade carrega nela a semente de um benefício equivalente?

NAPOLEON HILL:

Sim, há centenas de exemplos que eu poderia relacionar, se o tempo permitisse, mas vou lhe dar dois, e um deles mudou todo o rumo da minha vida e, por meus esforços, mudou a vida de muitas pessoas. Minha mãe faleceu quando eu tinha oito anos de idade. Para muita gente, essa seria uma perda irreparável, é claro, mas a semente de um benefício equivalente trazida por essa perda foi encontrada em uma madrasta sábia e compreensiva, que ocupou o lugar de minha mãe e estava destinada a inspirar em mim coragem e fé quando mais precisei delas.

O outro exemplo é o grande sofrimento de Abraham Lincoln pela perda de seu primeiro amor, Ann Rutledge. A morte de Ann tocou profundamente as forças espirituais da alma do grande Lincoln e revelou ao mundo as qualidades que fariam dele um de nossos maiores presidentes no tempo de nossa maior necessidade. Você pode dizer que foi má sorte ou infortúnio que privou Lincoln da mulher que foi seu primeiro amor, mas foi a reação do Sr. Lincoln e a adaptação a essa perda que revelaram a grandiosidade de sua alma. Em vez de se desesperar, ele redobrou esforços para educar-se, perseverar e alcançar excelência em suas vocações.

Nenhuma experiência humana deveria ser considerada uma perda total, porque todas as circunstâncias da vida, agradáveis ou desagradáveis, nos colocam no caminho para aprender como viver e nos dar bem com outras pessoas.

ALDERFER:

Durante seus contatos com Thomas Edison, teve a impressão de que ele era prejudicado pela surdez?

NAPOLEON HILL:

Pelo contrário. Para minha surpresa, descobri que a surdez do Sr. Edison era uma bênção, em vez de maldição, porque ele encontrou a semente de um benefício equivalente trazida por sua surdez e a usou de maneira impressionante. Uma vez perguntei ao Sr. Edison se a surdez não era um obstáculo, e ele disse: "Não, é uma bênção, porque me ensinou a ouvir dentro de mim".

ALDERFER:

O que o Sr. Edison quis dizer com essa resposta?

NAPOLEON HILL:

Ele quis dizer que a surdez o levou a desenvolver o sexto sentido, pelo qual aprendeu a sintonizar e fazer contato com fontes de conhecimento além daquelas disponíveis aos cinco sentidos físicos. Foi com base nessas fontes que ele obteve boa parte do conhecimento que fez dele o maior inventor de todos os tempos. E já que estou falando nisso, quero contar que, ao longo dos vinte anos que passei analisando pessoas bem-sucedidas para aprender o que as fazia vibrar, descobri que, quase invariavelmente, elas eram bem-sucedidas quase na exata proporção em que haviam encontrado e superado obstáculos e derrota.

ALDERFER:

Como você explica isso?

NAPOLEON HILL:

Isso pode ser explicado considerando-se que a natureza arranjou de tal forma as questões do homem que a força nasce da dificuldade. Se os homens não tivessem problemas e nunca fossem levados a se esforçar, atrofiariam e murchariam pelo desuso dos neurônios, da mesma maneira que aconteceria com um braço ou uma perna que não fosse exercitado. A natureza penaliza as pessoas que deixam de usar de maneira apropriada o corpo físico. O mesmo vale para as células cerebrais com as quais pensamos. Se não usamos a mente, ela se torna preguiçosa e pouco confiável.

Problemas humanos forçam as pessoas a desenvolver a mente pelo uso; pensar, raciocinar, imaginar e resolver problemas. Veja o que acontece com os filhos de pessoas muito ricas que deixam a prole crescer com a ilusão de que não precisam trabalhar ou se preparar para viver por iniciativa própria, porque os pais têm dinheiro. Uma pessoa assim raramente se torna independente ou autodeterminante.

ALDERFER:
Você experimentou algumas dificuldades na juventude, não?

NAPOLEON HILL:
Sim, fui abençoado ao nascer com quatro poderosos motivos para dificuldades: pobreza, medo, superstição e analfabetismo.

ALDERFER:
Disse que foi abençoado?

NAPOLEON HILL:
Sim, fui, porque estava destinado a dedicar minha vida a ajudar meus semelhantes a superar essas quatro causas comuns de fracasso e precisava aprender alguma coisa sobre elas na origem.

Do lado mais leve das minhas bênçãos, talvez queira saber que fui batizado com o nome de Napoleon porque meus pais tinham a esperança de que um tio-avô com o mesmo nome deixasse para mim parte de sua fortuna quando morresse. Mas, felizmente, ele não deixou! Digo felizmente porque sei o que aconteceu com as pessoas para quem ele deixou seu dinheiro! Logo dilapidaram tudo, enquanto eu, em meu esforço para superar a pobreza, o medo, a superstição e o analfabetismo, descobri um conhecimento que tive o privilégio de compartilhar com milhões de pessoas que se beneficiaram dele.

ALDERFER:

Se tivesse um amigo, um filho ou um aluno que estivesse se preparando para trilhar seu caminho no mundo, e precisasse escolher uma característica com a qual o aconselhasse a contar mais para ter sucesso, que característica seria essa?

NAPOLEON HILL:

Essa é uma questão-chave, mas, sem hesitação, digo que escolheria aquela característica que inspira ou compele uma pessoa a seguir em frente quando as dificuldades surgem, em vez de desistir. Eu escolheria essa característica porque ela me serviu em momentos quando meu futuro parecia inexistente por todos os padrões de avaliação. E a escolheria porque nunca vi ou ouvi falar de ninguém que tenha alcançado sucesso acima da mediocridade sem essa característica. Também a escolheria porque tenho razão para acreditar que o Criador pretendia que as pessoas se tornassem sábias e fortes por meio do esforço nas dificuldades.

ALDERFER:

Seus comentários sobre filhos de pessoas muito ricas me levam a perguntar se, em seus contatos com americanos ricos, descobriu algum filho de rico que se igualasse ou superasse o pai nos negócios ou em outra área.

NAPOLEON HILL:

Só um! E foi John D. Rockefeller Jr., que não só alcançou as realizações do pai, como também o excedeu em muitos aspectos, no meu modo de pensar. Pobreza é sempre uma grande maldição, mas só porque as pessoas a aceitam dessa maneira, e não como uma inspiração para prestar o tipo de serviço que pode superar a pobreza. Riqueza herdada também é frequentemente uma grande maldição.

ALDERFER:

Pelo que está dizendo, presumo que acredite que o filho de um homem pobre tem mais chance de sucesso que o filho de um homem rico.

NAPOLEON HILL:

Todas as minhas observações durante os últimos quarenta e poucos anos me convenceram de forma conclusiva de que o filho do homem pobre tem mais chance, desde que não aceite a pobreza como algo que tem de tolerar, mas, sim, se decida a superá-la.

ALDERFER:

Qual foi sua primeira reação à oferta de Andrew Carnegie de apadrinhá-lo para que escrevesse uma filosofia do sucesso, com a condição de que ganhasse seu sustento sem nenhum subsídio financeiro dele?

NAPOLEON HILL:

Minha primeira reação foi a mesma que a maioria das pessoas teria tido. Pensei que a solicitação era injusta, tendo em vista sua grande riqueza, mas depois aprendi que esse foi um dos movimentos mais astutos que Carnegie fez em seu relacionamento comigo, porque me forçou a desenvolver mais recursos e aprender a aplicar os princípios do sucesso para me sustentar, enquanto me dedicava ao trabalho não remunerado de pesquisar as causas do sucesso. Por causa dessa visão de futuro do Sr. Carnegie, vivi para ver o dia, não muito distante daquele em que comecei a trabalhar com ele, em que não precisava de sua ajuda financeira.

ALDERFER:

Muitos de nossos amigos gostariam de saber como conseguiu se sustentar durante os vinte anos de pesquisa a que se dedicou antes de esse trabalho se tornar remunerativo.

NAPOLEON HILL:

Ouvi essa pergunta muitas vezes. Eu era um jornalista experiente quando conheci o Sr. Carnegie, e meu trabalho nesse campo me sustentou por um tempo. Mais tarde comecei a treinar homens e mulheres na área de vendas; e acontece que eu tinha talento nesse campo. Durante o tempo em que trabalhei na área de vendas, treinei mais de trinta mil pessoas. E muitas delas se tornaram mestres na arte das vendas.

ALDERFER:

Só mais uma pergunta pessoal. Como consegue se manter tão cheio de energia, ativo e jovem aos 71 anos?

NAPOLEON HILL:

Permaneço jovem me mantendo ocupado com um trabalho de amor, e pelo hábito de comemorar cada aniversário excluindo um ano da minha idade, em vez de acrescentá-lo. Agora tenho pouco menos de quarenta! Mas falando sério, encerro cada dia de trabalho com uma oração que mantém meu estoque de bênçãos sempre cheio, e vou dizer qual é essa oração agora: "Oh, Inteligência Infinita, não peço mais riquezas, mas mais sabedoria para usar melhor as bênçãos que me foram concedidas no nascimento, pelo privilégio de acolher minha mente e direcioná-la para os fins que escolher. Amém".

ALDERFER:

Sr. Hill, chegou a hora de responder algumas das muitas perguntas que chegaram ao nosso escritório em relação a problemas que surgiram na mente dos nossos ouvintes. Pode dar a eles o benefício de sua sábia orientação e responder a algumas delas?

A primeira é de uma mulher que diz: "Sou secretária de um homem que acredita que uma mulher não tem direito a ser promovida para um cargo executivo. Tenho capacidade para ocupar uma posição de muito mais responsabilidade do que a que tenho agora. Como devo agir para conquistar esse lugar?".

NAPOLEON HILL:

Sugiro que consiga permissão para fazer parte do trabalho pertinente a essa posição mais elevada e que o faça no seu tempo e de graça. É improvável que seu empregador se oponha às suas horas extras sem remuneração, e assim você vai provar sua capacidade de ocupar a posição melhor.

ALDERFER:

A próxima pergunta é de um homem que quer abrir um negócio próprio. Ele diz: "Trabalho para uma grande transportadora e conheço a área de ponta a ponta. Quero abrir uma empresa de caminhões, mas não tenho o capital para comprar o equipamento. Como sugere que eu obtenha o dinheiro necessário?".

NAPOLEON HILL:

Você deve procurar um sócio que esteja disposto a investir o capital necessário e assumir uma porção das responsabilidades. Assim, você investiria sua experiência, e o arranjo será satisfatório para as duas partes, se encontrar o homem certo. Tente anunciar na seção de negócios da edição de domingo do *Chicago Tribune* e do *Wall Street Journal*, e provavelmente vai encontrar o sócio de que precisa.

ALDERFER:

Aqui tem uma pergunta de um jovem que está concluindo o ensino médio. Ele diz: "Vou me formar neste ano e quero encontrar um emprego com algum empresário competente para poder me beneficiar da experiência. O que devo fazer para conquistar essa posição?".

NAPOLEON HILL:

Uma abordagem seria fazer um curso universitário de Administração, a menos que tenha esse tipo de conteúdo no ensino médio, e preparar-se para ser secretário. Secretários competentes são muito difíceis de encontrar, e você não teria problemas para conseguir um emprego. Além disso, poderia escolher seu empregador, isso é praticamente certo. Em um emprego desse tipo, você teria acesso a contratos comerciais e ao benefício da experiência de um empresário bem-sucedido, o que seria de valor inestimável como um degrau para chegar a posições melhores.

ALDERFER:

Um professor universitário diz: "Uma família em crescimento cria a necessidade, para mim, de ganhar mais dinheiro do que meu atual emprego de professor paga hoje ou pode pagar um dia. O que devo fazer sobre isso?".

NAPOLEON HILL:

A resposta é óbvia. Procure outra área de atuação, como vendas, por exemplo. Você poderia começar como vendedor em meio período, trabalhando à noite, sem deixar seu atual emprego, até provar para si mesmo que é capaz de vender.

ALDERFER:

Obrigado por ter respondido a essas perguntas.

ANUNCIANTE:

Obrigado, Napoleon Hill, e obrigado à nossa audiência por ter sintonizado o programa desta tarde. Voltem no próximo domingo, quando o Sr. Hill vai dizer a vocês como condicionar a mente para o sucesso.

SABEDORIA PARA VIVER

1. Napoleon Hill deu um novo significado ao fracasso. Se olharmos para o fracasso como uma derrota temporária e uma bênção disfarçada, nossa atitude em relação à derrota se torna mais positiva.
2. Educação, habilidades e experiência são úteis em todas as vocações, mas terão pouco valor para a pessoa que desiste quando é derrotada.
3. Quando a derrota acontecer, não passe todo o seu tempo calculando as perdas. Reserve parte do tempo para calcular os ganhos e pode descobrir que eles são maiores que as perdas.
4. A adversidade mostra de que você é feito; traz à tona suas melhores qualidades.
5. Perder bens materiais pode ajudá-lo a descobrir uma fortuna intangível de tamanha magnitude que não pode ser medida em termos materiais.
6. Dor, obstáculos, derrotas, vergonha e perdas são infortúnios que todos temos de enfrentar, porque simplesmente fazem parte da condição humana!
7. Ninguém ganha o tempo todo.
8. Nenhuma experiência humana jamais deve ser considerada uma perda completa, porque todas as circunstâncias da vida, sejam elas agradáveis ou desagradáveis, nos colocam no caminho para aprender a viver.

ADVERSIDADE E VANTAGEM

1. Fracasso e adversidade apresentaram a muitas pessoas oportunidades que elas não teriam reconhecido em circunstâncias mais favoráveis.
2. O momento mais importante em sua vida é quando você reconhece que sofreu uma derrota. Ele é o mais importante porque dá a você meios confiáveis para prever as possibilidades de seu sucesso futuro.
3. Se você aceita a derrota como uma inspiração para tentar de novo com confiança renovada e determinação, conquistar o sucesso é só uma questão de tempo. Se você aceita a derrota como definitiva e permite que ela destrua sua confiança, pode abandonar a esperança de ter sucesso. Toda derrota marca um importante ponto de transformação em sua vida.

CAPÍTULO 5

COMO CONDICIONAR A MENTE PARA O SUCESSO

(UM JEITO DE INFLUENCIAR SORTE, DESTINO E ACASO)

VISÃO GERAL

Neste capítulo, o propósito de Hill é levá-lo da consciência do fracasso à consciência do sucesso.

Você vai aprender sobre:

- △ O sistema interno que você usa constantemente contra si mesmo.
- △ Como esse sistema tem o poder de conter todas as forças negativas, como pobreza, medo, doença e ódio em sua vida.
- △ Como esse sistema também é uma cura para o atrito nas relações humanas e pode levar harmonia e paz à sua vida.
- △ Por que é essencial preservar esse sistema para protegê-lo de todas as adversidades.

Com o conhecimento acumulado neste capítulo, você vai estar no caminho para usar o poder desse sistema para assumir o controle de sua vida.

PROGRAMA 5. COMO CONDICIONAR A MENTE PARA O SUCESSO

ANUNCIANTE:

Success Unlimited está no ar, trazendo mais uma vez o renomado filósofo Napoleon Hill, cujos livros sobre sucesso beneficiaram milhões de pessoas no mundo. No programa de hoje, Napoleon Hill traz um sistema novinho em folha para o desenvolvimento de uma consciência do sucesso e diz como usar esse sistema para atrair riquezas e todos os valores da vida que você mais deseja. Auxiliando o Sr. Hill temos Henry Alderfer, diretor associado de educação do Napoleon Hill Institute. Sr. Alderfer.

ALDERFER:

Obrigado, e quero alertar nossos ouvintes para estarem preparados hoje para uma abordagem inteiramente nova de seu sucesso pessoal, com base em princípios de condicionamento mental que podem ser inteiramente novos para vocês. Ouçam com atenção e mantenham a mente aberta, porque a mensagem que vão ouvir pode marcar a mudança mais importante em toda a sua vida, se estiverem preparados para um estilo de vida melhor e mais abundante. Agora, com vocês, Napoleon Hill, que provou a solidez dos princípios que vai transmitir a vocês usando-os para ter sucesso nos termos dele. Sr. Hill.

NAPOLEON HILL:

Boa tarde, meus amigos da rádio. Começo chamando a atenção de vocês para o fato de que este mundo onde vivemos, lutamos, tropeçamos e caímos, depois nos levantamos no esforço de encontrar nosso lugar por direito, nos põe frente a frente com duas forças poderosas com as quais precisamos lidar. Uma é a força do bem, e a outra é a força do mal. Talvez você prefira identificar essas duas forças como Deus e o Diabo, mas, sejam quais forem os nomes dados a elas, sabemos que são poderes reais que afetam nossa vida de maneira favorável ou desfavorável. Por ter sido abençoado com o privilégio de aprender um sistema pelo qual a força do mal pode ser contida, sinto que é meu dever e privilégio transmiti-lo a vocês e todas as outras pessoas que podem estar preparadas para recebê-lo.

ALDERFER:
Sr. Hill, o sistema confere imunidade contra todas as forças do mal que aparecem no caminho de quem está tentando viver corretamente e encontrar felicidade e prosperidade, tais como as forças de pobreza, medo, doença e ódio?

NAPOLEON HILL:
Sim, ele me deu completa imunidade contra todas essas forças e fez o mesmo por milhares de outras pessoas. O sistema engloba o mesmo princípio fundamental que Emil Coué prescreveu com tanto sucesso há mais de trinta anos. Coué reduziu a fórmula a seus termos mais simples ensinando aos seus seguidores como se tornarem melhores com esta frase simples: "Dia a dia, em todos os aspectos, estou cada vez melhor".

ALDERFER:
É claro que Coué ensinava às pessoas como usar autossugestão para manter a mente positiva, não?

NAPOLEON HILL:

Exatamente, e é importante lembrar que muitos usam autossugestão todos os dias, não para combater as forças do mal, mas para dar a elas uma porta aberta por onde entrar e causar sofrimento. Isso acontece porque a maioria das pessoas passa pela vida atormentada por frustrações, fracassos e pobreza, por permitirem que a mente se dedique a essas coisas indesejáveis. É fato conhecido que a mente atrai o equivalente físico daquilo de que é alimentada.

ALDERFER:

É óbvio, então, que um sistema de condicionamento mental é criado para ensinar as pessoas a usarem o poder da autossugestão para condicionar a mente com uma consciência de sucesso a fim de alcançarem as coisas que querem, não as coisas que não querem.

NAPOLEON HILL:

Você não poderia ter colocado de maneira melhor, Henry. O sistema dá ao indivíduo um jeito controlado de viver e um método para manter a mente sintonizada com as forças do bem e protegida contra as forças do mal de toda natureza. Todos os pensamentos, positivos e negativos, atraem as pessoas e coisas semelhantes a eles.

ALDERFER:

Sendo assim, é evidente que devemos ter um meio de controlar os pensamentos a partir dos quais a mente subconsciente age, já que ela aceita e age a partir do medo com a mesma prontidão com que aceita e age a partir da fé.

NAPOLEON HILL:

É verdade, e aqui vamos notar algo muito importante pelo qual as pessoas podem dirigir e, em grande medida, controlar seu destino na Terra, que é o completo, absoluto e imutável controle que o Criador dá ao indivíduo sobre uma coisa, o poder do pensamento. Você pode deixar a mente pensar em termos de sofrimento, fracasso e pobreza, e essas coisas indesejáveis serão atraídas por você com a mesma certeza de que a noite segue o dia. Por outro lado, você pode planejar e dirigir deliberadamente a mente para pensar em opulência, felicidade e sucesso, e essas coisas serão atraídas por você com a mesma certeza.

Não é lógico presumir que, dando ao homem controle sobre uma única coisa, o Criador pretendia que essa fosse a coisa mais importante disponível ao homem? Uma coisa se destaca na vida de todas as pessoas bem-sucedidas que conheci: o fato de que cada uma delas tinha um sistema para controlar a mente e mantê-la ocupada com circunstâncias e coisas que eram desejadas, coisas que representavam sucesso. Também notei, ao observar milhares de fracassos, que nenhuma dessas pessoas tinha um sistema para controlar e direcionar a mente para objetivos definidos, mas vagavam sem rumo com a incerteza do acaso.

ALDERFER:

Sei que você tem um sistema para controlar e direcionar a mente, e que funciona, e sei que nossos ouvintes esperam ansiosos que você o descreva.

NAPOLEON HILL:

Sim, tenho um sistema funcional, e é um prazer compartilhá-lo com todos que estão prontos para aceitá-lo e colocá-lo em prática. O sistema consiste no que chamo de meus Príncipes Orientadores. São nove desses serviçais invisíveis, cada um deles designado para cumprir uma tarefa específica por mim. A responsabilidade combinada dos nove príncipes é me dar uma vida bem programada e adequadamente equilibrada, propícia para a realização de meu objetivo definido na vida, que é ajudar as pessoas a se apoderarem da própria mente.

ALDERFER:

Tenho certeza de que nossos amigos ouvintes gostariam de ouvir sua descrição dos Príncipes Orientadores e do serviço específico que cada um desempenha por você. E também como você consegue manter os príncipes constantemente dedicados a servi-lo, que compensação oferece etc.

NAPOLEON HILL:

Ao descrever os príncipes, vou apresentá-los na ordem em que me comunico com eles várias vezes por dia a fim de expressar minha gratidão pelos serviços que prestam a mim, a começar pelo Príncipe da Boa Saúde.

A responsabilidade desse príncipe é vitalizar cada célula e órgão do meu corpo e mantê-lo continuamente livre de elementos inóspitos para que eu possa gozar de perfeita saúde. Também é dever desse príncipe me dar sabedoria para cooperar com inteligência e fazer minha parte para manter o corpo saudável e eficiente.

O Príncipe da Prosperidade é encarregado da responsabilidade de suprir toda substância material que desejo ou de que preciso, inclusive dinheiro, de fontes nas quais conquistei o direito de ter essas bênçãos, e é responsabilidade desse príncipe me dar a sabedoria para usar de maneira astuta todas as riquezas de toda natureza que eu puder receber.

O Príncipe da Paz de Espírito é encarregado de manter minha mente livre das causas de medo e preocupação e sempre aberta e sem intolerância de qualquer natureza. Esse príncipe também protege minha mente contra a invasão de todos os pensamentos e forças, exceto aqueles que eu convido.

O Príncipe da Esperança revela a mim imagens do futuro que me inspiram e ajudam a desempenhar meus deveres diariamente, além de me darem a coragem de criar inícios antes de poder antever os fins em minha área de trabalho.

O Príncipe da Fé mantém constantemente aberto o portal entre minha mente e a Inteligência Infinita e me protege contra a aceitação de limitações desnecessárias e pensamentos negativos no desempenho de meus deveres. Esse príncipe também me inspira a assumir e completar com sucesso propósitos e objetivos que muitas pessoas julgariam impossíveis de alcançar.

O Príncipe do Amor me mantém eternamente jovem de corpo e mente e me identifica com meus semelhantes em um espírito de compreensão, o que me dá muitas oportunidades de ser útil a pessoas de todas as raças e todos os credos.

O Príncipe do Romance faz de todas as minhas tarefas e atividades um trabalho de amor e me mantém eternamente alerta para a verdade de que nenhuma experiência humana jamais é desperdiçada ou perdida, exceto pela atitude mental negativa do indivíduo em relação a ela.

O Príncipe da Paciência me dá a autodisciplina de que preciso para me ajustar em todas as relações humanas, de forma que seja capaz de lidar justamente com todo mundo em todas as circunstâncias. Ele também me faz lembrar que tempo e o momento adequado para os meus atos e feitos podem resolver problemas que nada mais resolve.

O Príncipe da Sabedoria Geral mantém os outros oito príncipes eternamente ativos a meu favor, quando durmo e quando estou acordado, e assim me relaciona a cada circunstância que toca minha vida, agradável ou desagradável. E esse príncipe revela a semente da vantagem equivalente que existe em cada adversidade que eu possa encontrar.

Aí está a descrição do meu pequeno exército de serviçais invisíveis pelos quais disponho do profundo privilégio a mim concedido pelo Criador de tomar plena posse de minha própria mente e direcioná-la para os fins que eu escolher.

ALDERFER:
Você dá ordens verbais a esses Príncipes Orientadores, como se fossem pessoas?

NAPOLEON HILL:
Sim, ou posso dirigi-los em pensamentos. No entanto, eles não precisam de direções, exceto em emergências ou circunstâncias incomuns, porque servem automaticamente, cada um desempenhando os deveres a ele atribuídos.

ALDERFER:
Algum de seus príncipes já o desapontou por deixar de executar os deveres a ele atribuídos?

NAPOLEON HILL:
Não, a menos que eu não faça minha parte para ajudar cada um dos príncipes a desempenhar seus deveres, por exemplo, deixando de dormir as horas necessárias ou comendo a combinação errada de alimentos. E talvez você goste de saber que nunca compenso

meus príncipes pelos serviços prestados. A compensação consiste inteiramente no hábito diário de expressar gratidão pelos serviços que eles prestam a mim. Todas as noites, antes de dormir, agradeço a cada príncipe individualmente pelo serviço prestado durante o dia, o serviço que ele vai continuar prestando enquanto durmo e o serviço que vai prestar no dia seguinte.

ALDERFER:
O que acontece se deixar de manifestar sua gratidão diariamente?

NAPOLEON HILL:
A mesma coisa que acontece com a pessoa que deixa de agradecer todos os dias ao seu Criador e, assim, remove-se dos poderes protetores do Criador. Só deixei de manifestar gratidão aos meus príncipes pouquíssimas vezes, e, sempre que isso aconteceu, os serviços prestados por cada príncipe diminuíram de maneira notável.

ALDERFER:
Por qual meio e de que forma seus príncipes se comunicam com você, e eles alguma vez tomam a iniciativa de se comunicar?

NAPOLEON HILL:
Ah, sim, eles se comunicam com liberdade e frequentemente por intermédio de pensamentos. Comunicam-se comigo em especial quando estou prestes a tomar decisões importantes, e me dão dicas da direção que devo seguir.

ALDERFER:
Seus príncipes já lhe deram alguma sugestão errada?

NAPOLEON HILL:

Até onde sei, nunca, embora algumas vezes me inspirem a tomar decisões que meu senso comum e lógico rejeite. No geral, porém, essas decisões se mostraram corretas.

ALDERFER:

Parece que estabeleceu um relacionamento com seus amigos invisíveis com base no princípio do MasterMind, que é usado por todas as pessoas que alcançaram os mais elevados níveis de sucesso. Tem outras alianças de MasterMind, além dessa que mantém com seus príncipes?

NAPOLEON HILL:

Ah, sim, tenho alianças de MasterMind com outras pessoas em todos os campos de atuação nos quais tenho algum interesse e nunca conheci ninguém que tenha alcançado sucesso relevante em qualquer empreitada sem a ajuda de aliados amistosos. O Princípio do MasterMind está entre os maiores de todos os princípios do sucesso, porque pode dar à pessoa mais humilde a sabedoria, a educação e a experiência das maiores mentes.

ALDERFER:

Sr. Hill, em nosso programa anterior, você descreveu as três principais causas de fracasso. Pode agora nos dar uma descrição das três principais causas de sucesso?

NAPOLEON HILL:

Sim, tenho o prazer de informar que os três princípios mais importantes para o sucesso estão disponíveis a todos que queiram usá-los. O primeiro desses princípios, é claro, é a Definição de Objetivo – saber com precisão o que quer e decidir não se contentar com menos que isso. Esse é o ponto de partida para toda realização bem-sucedida.

O segundo dos três princípios mais importantes para o sucesso é o hábito de Fazer o Esforço Extra prestando mais e melhor serviço do que aquele pelo qual recebe, e com uma atitude mental agradável.

O terceiro princípio é o MasterMind, que consiste em duas ou mais pessoas unindo suas mentes e coordenando esforços pela realização de um objetivo definido, em espírito de perfeita harmonia. Esses três princípios são necessários para todos que querem ir além da mediocridade.

ALDERFER:
Essa é sua opinião pessoal, Sr. Hill, ou uma declaração factual com base em experiência real?

NAPOLEON HILL:
É uma declaração de fato baseada na observação de milhares de pessoas bem-sucedidas representando quase todos os campos da atividade humana. Nunca expresso opiniões que não tenham uma base factual para justificá-las.

ALDERFER:
Pelo que disse, Sr. Hill, parece que a associação próxima de quaisquer duas ou mais pessoas tende a modificar a personalidade e a atitude mental de cada uma, para melhor ou para pior. Essa é sua conclusão?

NAPOLEON HILL:
Não é apenas minha conclusão, mas um fato de grande e abrangente importância, que nossos associados próximos devem ser escolhidos

com cuidado para garantir que sua influência sobre nós seja positiva, não negativa. Por exemplo, nunca conheci um jovem que tenha se tornado mau e começado a praticar coisas erradas sem a influência de más companhias. Posto de outra forma, nunca conheci alguém de caráter relevante que não tenha se associado a uma ou mais pessoas de caráter semelhante. E nunca conheci um homem de negócios ou profissional bem-sucedido cujo sucesso não tenha derivado de sua associação com uma ou mais pessoas cuja influência alimentou seus esforços com maior imaginação e fé. Se eu não tivesse conhecido Andrew Carnegie, por exemplo, provavelmente ainda viveria no ambiente altamente desfavorável em que nasci, em vez de estar ajudando pessoas no mundo todo a melhorar de vida.

ALDERFER:

Sr. Hill, parece que a maioria das pessoas vive mais fracassos que sucessos ao longo da vida. O que se deve fazer para reverter essa porcentagem, de forma que os sucessos superem os fracassos?

NAPOLEON HILL:

A primeira coisa que se deve fazer depois de um fracasso ou uma derrota de qualquer tipo, ou de uma circunstância desagradável, é começar imediatamente a procurar aquela semente de um benefício equivalente que acompanha todas essas experiências. Nunca houve e nunca haverá uma adversidade de qualquer tipo que não carregue a semente de uma vantagem equivalente. Mas a reação habitual ao fracasso e à derrota é negativa, e o indivíduo paralisa de medo e desânimo, em vez de analisar a experiência para ver que vantagem ela pode ter trazido.

ALDERFER:

Sr. Hill, seria interessante, e talvez benéfico a muitos de nossos ouvintes, se nos desse sua ideia do tipo de pessoa que se deve escolher para os relacionamentos pessoais próximos, como casamento e amizades íntimas, e também para alianças profissionais e comerciais.

NAPOLEON HILL:

Sem hesitação, eu diria que os associados mais úteis são aqueles que inspiram o indivíduo a se ajudar. De todas as centenas de pessoas com quem me associei no nível pessoal, por amizade ou de outra maneira, a que mais colaborou para dar forma à minha vida foi minha madrasta, que me ensinou desde cedo que autoconfiança é um bem de valor inestimável. Tenho certeza de que foi a influência dela que condicionou minha mente a não desistir diante de dificuldades em qualquer empreitada.

ALDERFER:

Em todos os relacionamentos humanos, há momentos e circunstâncias que fazem as pessoas ficarem irritadas e impacientes umas com as outras. O que deve ser feito quando as pessoas descobrem que estão fora de sintonia umas com as outras?

NAPOLEON HILL:

Todas as atividades bem-sucedidas são resultado de relações harmoniosas entre as pessoas. Nos meus relacionamentos com outras pessoas, nunca permiti que a desarmonia prevalecesse, porque sabia que, se isso acontecesse, o relacionamento se deterioraria até se tornar prejudicial a todos os envolvidos. Às vezes o atrito nas relações humanas pode ser resolvido, mas, quando isso não é possível, o relacionamento deve ser desfeito. Atrito em máquinas e equipamento mecânico custa caro, mas nada se compara ao custo do atrito nas relações humanas.

ALDERFER:
Resumindo, você disse que relações desarmoniosas devem ser reparadas ou desfeitas? Não existe um meio-termo entre esses dois extremos?

NAPOLEON HILL:
Sim, acho que existe na relação do casamento, em que o atrito pode e deve ser amenizado pelo espírito da concessão, em vez de terminar em divórcio. O casamento é a mais sagrada de todas as relações humanas e deve ser santificado. Nos relacionamentos comerciais e sociais, porém, o atrito entre indivíduos deve ser reparado ou encerrado, definitivamente, como você colocou, e pelo bem de todos os envolvidos.

ALDERFER:
Ao reparar uma relação de desarmonia e atrito, onde deve começar a cura, em que ela deve consistir e quem deve dar o primeiro passo?

NAPOLEON HILL:
A cura deve começar no coração de todos os envolvidos e consistir em uma disponibilidade de cada um para examinar-se com sinceridade e garantir que a semente do descontentamento não exista em seu coração. A régua desse autoexame deve ser a Regra de Ouro, a maior de todas as regras pelas quais as pessoas podem se relacionar entre si. Além disso, cada indivíduo envolvido em uma controvérsia deve lembrar que há três lados em toda discórdia

– seu lado, meu lado e o lado certo, que frequentemente está entre o seu lado e o meu lado.

ALDERFER:

Não é fato que a harmonia nas relações de negócios muitas vezes é mantida com base no medo? E isso também vale para outras relações. Conheço casos em que o gerente mantém pelo menos a aparência de harmonia deixando os subordinados em estado de medo.

NAPOLEON HILL:

Nada bom pode derivar do medo, e os negócios administrados por meio dele vão pagar caro por esse erro, mais cedo ou mais tarde. A mesma regra se aplica à relação com os filhos em casa. Amor e bondade podem fazer maravilhas em todas as relações humanas, mas a pessoa que se propõe a controlar os outros pelo medo descobre, talvez tarde demais, que o medo volta como um bumerangue para atormentar quem o inspirou. Medo é a ferramenta das forças maléficas do mundo. Amor é a ferramenta das forças do bem e a esperança da humanidade. Ou ainda, podemos dizer que o medo é uma ferramenta do Diabo, com a qual as pessoas são submetidas, enquanto o amor é o meio pelo qual o Criador concede Sua benevolência.

ALDERFER:

E quanto às pessoas que acumulam grandes fortunas nos negócios e em outros campos explorando trabalhadores submetidos pelo medo? O dinheiro delas não é tão bom quanto aquele acumulado por meios menos cruéis?

NAPOLEON HILL:

Qualquer coisa adquirida por intermédio do medo, seja dinheiro, seja outra coisa de valor, tem um jeito estranho de sempre levar uma maldição para aquele que o acumula. Às vezes essa maldição se estende até a terceira ou quarta geração de descendentes da pessoa que a provoca explorando as pessoas pelo medo. Se eu tivesse essa propensão, poderia lhe dar alguns exemplos bem convincentes dessa verdade, mas a maioria das pessoas pode fornecer os próprios exemplos examinando os registros familiares de homens que acumularam dinheiro explorando os outros pelo medo.

ALDERFER:

Sr. Hill, pelo que disse, tenho uma impressão muito forte de que a filosofia do sucesso foi criada com bastante cuidado para harmonizar com as leis naturais do Universo.

NAPOLEON HILL:

Testei da melhor maneira que pude todos os princípios do sucesso em relação às ciências e leis naturais, porque aprendi desde cedo na vida que toda ação humana e todas as relações humanas que não estejam em harmonia com o plano geral do Universo devem perecer por fracasso e derrota.

ALDERFER:

Concordo inteiramente com o que acabou de dizer, mas por que tantas pessoas nunca reconhecem essa grande verdade universal?

NAPOLEON HILL:

Alguém muito sábio já disse: "Nosso único pecado é o da ignorância". Não finjo saber se isso é verdade ou não, mas sei que pessoas que não guiam suas relações humanas de acordo com as leis naturais acabam sofrendo, mais cedo ou mais tarde. O Nazareno deu ao mundo, em uma frase curta, uma regra para os homens viverem, e nunca apareceu outra melhor. Talvez a simplicidade da Regra de Ouro convide algumas pessoas a ignorar seu poderoso potencial para o bem nas relações humanas.

ALDERFER:
Já teve conhecimento de algum negócio conduzido estritamente pela aplicação da Regra de Ouro em conexão com todas as suas transações?

NAPOLEON HILL:
Sim, conheci vários negócios assim, e todos eram bem-sucedidos muito além da média. Vários anos atrás, escrevi um artigo para uma revista com base na experiência de Arthur Nash, de Cincinnati, Ohio, que ressuscitou sua empresa da falência e a viu se transformar em uma das mais lucrativas confecções com vendas por catálogo no país. Ele operou um milagre do mundo comercial moderno pelo simples procedimento de adotar a Regra de Ouro em todas as transações, começando pelos próprios empregados. Seu sucesso foi tão fenomenal, e seu método de realização, tão único, que ele recebeu o equivalente a dezenas de milhares de dólares em publicidade gratuita em revistas e jornais de todo o país, depois da publicação de meu artigo no qual chamei o Sr. Nash de “Nash Regra de Ouro”.

ALDERFER:
Conhece outros casos em que o negócio se tornou lucrativo por ter sido administrado com base na Regra de Ouro?

NAPOLEON HILL:

O falecido Henry Ford fez pelo menos uma aplicação limitada da Regra de Ouro quando, em 1913, aumentou voluntariamente o salário de todos os empregados para um mínimo de US$ 5 por dia, quando o valor prevalente era metade disso, mais ou menos. Quem tem idade suficiente para lembrar sabe que o maior sucesso financeiro de Ford começou com essa decisão. Aquelas palavras simples, "Faça aos outros como se fizesse a si mesmo", são carregadas de poder suficiente para salvar o mundo de seu atual estado de medo e frustração, se por algum milagre conseguíssemos um número suficiente de pessoas para aceitá-la e viver todos os níveis da vida de acordo com ela.

Agora vou mencionar meu epigrama favorito: "O que sua mente pode conceber e acreditar, sua mente pode realizar". E antes de sair do ar, vou dizer a vocês qual é minha prece favorita: "Oh, Divina Inteligência, não peço mais riqueza, mas mais sabedoria para fazer melhor uso das bênçãos que me concedeu no nascimento pelo privilégio de controlar e dirigir minha mente para propósitos que eu escolher. Amém!".

ALDERFER:

Obrigado, Napoleon Hill.

ANUNCIANTE:

No próximo domingo, Napoleon Hill estará aqui novamente na mesma hora, nesta mesma estação. Sintonizem para ouvir a discussão sobre o princípio da Fé Aplicada.

SABEDORIA PARA VIVER

1. O cérebro torna-se magnetizado pelos pensamentos dominantes que mantemos na mente, e, por meios que ninguém conhece, esses ímãs atraem para nós as forças, pessoas e circunstâncias de vida que se harmonizam com nossos pensamentos dominantes. Felizmente, temos o poder de controlar nossos pensamentos.
2. Compreender esse princípio da mente significa que seu destino econômico e sua felicidade estão sob seu total controle.
3. Você não precisa da ajuda de ninguém para manipular sua mente, portanto ela vai funcionar como você quer.
4. Quando fala sobre sua pobreza e falta de escolaridade, está simplesmente dirigindo o poder de sua mente para a atração dessas circunstâncias indesejadas; sua mente atrai para você aquilo com que é alimentada.
5. Sua mente é algo que você pode controlar, seja qual for sua posição na vida, desde que exercite sempre esse direito, em vez de permitir que os outros façam isso por você.

ADVERSIDADE E VANTAGEM

Napoleon Hill fala sobre três tipos de derrota:

1. A perda de bens materiais, como riqueza, posição e propriedade.
2. Perdas resultantes de oposição decorrente de atrito em relações humanas ou diferentes sistemas de crença.
3. Derrota interior, na qual você perde contato com as forças espirituais de ser.

É fácil se recuperar das duas primeiras procurando a semente de igual ou mais benefício. No entanto, quando você sofre o terceiro tipo de derrota, de fato a sente profundamente. Isso só acontece quando você não está em harmonia com as leis da Natureza. Garanta que todas as suas ações e relações humanas estejam em harmonia com o plano geral do Universo. Quando aprender isso, nunca vai haver uma adversidade com a qual não possa lidar.

CAPÍTULO 6

COMO DESENVOLVER O PODER DA FÉ APLICADA

(O PODER ALÉM DA CIÊNCIA)

Aflição chega para todos nós, não para nos tornar tristes, mas sérios; não para nos fazer sofrer, mas para nos fazer sábios; não para nos desesperar, mas para que sua escuridão nos renove como a noite renova o dia; não para nos empobrecer, mas para nos enriquecer.

– Henry Ward Beecher

VISÃO GERAL

O propósito deste capítulo é apresentá-lo ao seu Outro Eu, o eu que tem uma visão de seu poder espiritual inato e que não vai aceitar ou reconhecer fracasso.

Napoleon Hill desperta sua consciência para esse poder sem limites que:

- △ Pode abrir portas para seu sucesso.
- △ Pode guiá-lo em direção a seu objetivo sem muito esforço de sua parte.
- △ Quando combinado a propósito e uma atitude mental positiva, pode torná-lo ilimitado.
- △ Vai eliminar dificuldades e sofrimento de sua vida.
- △ Vai condicioná-lo para recorrer de forma consciente e, com a prática, inconsciente àquele poder da Inteligência Infinita.

O processo passo a passo de Napoleon Hill descrito neste capítulo vai ajudá-lo a desenvolver esse incrível poder para tornar o impossível possível em sua vida.

PROGRAMA 6. COMO DESENVOLVER O PODER DA FÉ APLICADA

ANUNCIANTE:

Success Unlimited está no ar, apresentando mais uma vez o distinto filósofo do sucesso Napoleon Hill, cujos livros de sucesso são hoje publicados e distribuídos como *best-sellers* em todos os países civilizados, onde beneficiaram milhões de pessoas. Hoje Napoleon Hill vai trazer para vocês uma ideia que, se estiverem prontos para aceitar, pode mudar para melhor não só sua vida, mas também toda a sua comunidade ou o lugar onde você desempenha seu trabalho, bem como a atmosfera mental de sua própria casa. Temos aqui Henry Alderfer, diretor associado de educação do Napoleon Hill Institute, e ele vai auxiliar Napoleon Hill neste programa. Sr. Alderfer.

ALDERFER:

Obrigado. Nossos ouvintes podem esperar algo grandioso nesta tarde, porque Napoleon Hill apresentará sua interpretação do poder da Fé Aplicada – algo que vai abrir portas para o sucesso anteriormente fechadas e aparentemente trancadas. Ouçam com atenção, porque a mensagem que Napoleon Hill traz hoje ajudou milhões de pessoas no mundo a dar à própria vida um novo significado.

NAPOLEON HILL:

Boa tarde, meus amigos da rádio, que esta visita seja o começo de uma amizade pessoal que vai enriquecer a vida de vocês e a minha. Hoje quero falar sobre a pessoa mais importante neste momento, do seu ponto de vista, e essa pessoa é você mesmo. Mais de quatro décadas atrás, sentei-me na biblioteca particular do homem mais rico do mundo naquele momento e o ouvi fazer uma previsão que parecia me prometer o impossível. Esse homem era Andrew Carnegie, fundador da grande United States Steel Corporation, que tinha acabado de me convidar a organizar a primeira filosofia prática do sucesso no mundo. "Se você cumprir a missão que estou lhe dando", disse o Sr. Carnegie, "um dia vai ser mais rico do que eu e terá feito mais pessoas bem-sucedidas que aquelas pelas quais fui responsável, desde que descubra o poder da fé e aprenda a ser guiado por ela."

ALDERFER:

Foi uma promessa e tanto para fazer a um jovem desconhecido, como você era então, não foi?

NAPOLEON HILL:

Sim, foi! Mas não foi mais assustadora do que a promessa que vou fazer agora a cada ouvinte deste programa: se estiverem prontos para seguir as instruções que vou dar, seu futuro trará tudo que esperaram no passado e não tiveram, ou um equivalente razoável disso.

ALDERFER:

Antes de dar as instruções, pode contar aos ouvintes qual foi o desfecho da previsão que o Sr. Carnegie fez sobre você?

NAPOLEON HILL:

Henry, há vários milhões de homens e mulheres no mundo que poderiam responder à sua pergunta com mais modéstia do que eu, porque colheram grandes benefícios em consequência de eu os ter apresentado à fórmula de Andrew Carnegie para a Fé Aplicada. Mas, para ser mais específico, eu diria que a profecia do Sr. Carnegie foi uma grosseira subestimação do que aconteceria, porque já fui responsável por muito mais sucesso do que o Sr. Carnegie inspirou, e, quanto às riquezas, meu maior bem é um que quero compartilhar com os ouvintes do nosso programa e espero que traga abundância daqueles valores da vida que são mais importantes.

ALDERFER:

Sei que tem uma fórmula muito prática para o desenvolvimento e a aplicação da Fé Aplicada. Pode descrevê-la para os nossos ouvintes da rádio?

NAPOLEON HILL:

A base da Fé Aplicada é um desejo ardente pela conquista de objetivos definidos, planos ou propósitos. Quando Andrew Carnegie previu que eu me tornaria mais rico que ele e faria mais pessoas bem-sucedidas do que ele fez, suas palavras não teriam significado, se eu não acreditasse no que ele dizia.

ALDERFER:

Mas na época em que o Sr. Carnegie fez essa profecia, você era um jovem desconhecido com pouca coisa para justificar a crença de que poderia ultrapassar o grande Carnegie. Como condicionou a mente para acreditar naquilo que parecia impossível?

NAPOLEON HILL:

Para ser franco, no início não acreditei, mas o Sr. Carnegie me deu uma fórmula que me elevou a um plano superior de compreensão, e foi por meio dessa fórmula que conheci meu Outro Eu – o eu que não reconhece o impossível.

ALDERFER:

Agora está se tornando interessante, de fato. Vai revelar a natureza da fórmula e descrever como ela funcionou para você?

NAPOLEON HILL:

Como todas as coisas realmente grandiosas, a fórmula era surpreendentemente simples. O Sr. Carnegie me explicou que todo mundo é uma dupla personalidade, com um eu – aquele que conhecemos melhor, infelizmente – sendo uma personalidade negativa que é a vítima das limitações autoimpostas, e o Outro Eu – aquele que não reconhecemos –, que é a personalidade que reconhece que o que a mente pode conceber e acreditar, a mente pode realizar.

ALDERFER:

Como descobriu seu Outro Eu, e por quais meios o induziu a se manifestar e ajudá-lo a cumprir a previsão do Sr. Carnegie?

NAPOLEON HILL:

Você vai ficar surpreso quando eu contar e talvez fique ainda mais surpreso se adotar a fórmula que o Sr. Carnegie me deu, e que apliquei com toda a fidelidade. Ele me instruiu a dedicar dois períodos curtos diariamente para me colocar diante de um espelho, uma vez de manhã, ao me levantar, outra vez à noite, antes de me deitar.

ALDERFER:

O que ele o orientou a dizer a si mesmo?

NAPOLEON HILL:

Ele me deu um discurso para repetir, e eu o segui ao pé da letra. Era assim: "Seu Criador lhe deu poder exclusivo de controle sobre seus pensamentos, e Ele lhe deu o privilégio de acreditar que pode alcançar o objetivo a que entregou seu coração. Acredito que vou superar Andrew Carnegie na construção de pessoas bem-sucedidas e vejo isso como um fim realizado".

ALDERFER:
O discurso era só isso?

NAPOLEON HILL:
Sim, só isso, e foi o suficiente! Se você estudar com atenção as palavras desse discurso, pode descobrir que ele contém a soma e a essência do poder por trás de todas as realizações. Essa palavra "acreditar" é a essência do discurso. Ela me levou à descoberta do meu Outro Eu e levou-me à descoberta de que minhas únicas limitações eram aquelas que eu impunha a mim mesmo por deixar de acreditar.

ALDERFER:
Mas não é verdade que é preciso ter uma base razoável sobre a qual se estabelecer? Não se deve argumentar usando fatos e lógica, bem como experiências passadas?

NAPOLEON HILL:
Vou responder assim: quando fatos, experiências passadas e lógica servem para ajudá-lo a alcançar aquilo que você busca, deve-se contar com eles, mas, se ficam aquém da realização de seus objetivos, você tem o privilégio de desviar-se dessas orientações ortodoxas e pegar carona com a estrela da fé – aquele poder misterioso que pode realizar milagres. A crença opera por meio do poder da mente subconsciente, e é fato estabelecido que o subconsciente

aceita e leva à conclusão lógica qualquer instrução a ele dada naquele estado mental conhecido como fé.

ALDERFER:

Ah, entendo o que quer dizer! Diga a sua mente subconsciente o que quer com frequência suficiente, e ela o guiará para a realização desse objetivo por meios perfeitamente naturais. É essa a ideia?

NAPOLEON HILL:

Bem, não exatamente. Você omitiu um item importante: que o seu estado mental enquanto dá as instruções é o fator determinante para o que acontece depois. É que a mente subconsciente é uma ouvinte silenciosa de todas as suas palavras e todos os seus pensamentos. Quando comecei a fazer esse discurso na frente do espelho, não acreditava inteiramente no que estava dizendo. Mas, por repetição, logo passei a acreditar no que dizia, e então as coisas começaram a acontecer a meu favor.

ALDERFER:

O que mantém viva a crença quando lógica, fatos e experiências passadas não a sustentam?

NAPOLEON HILL:

Prepare-se para um choque, porque eu estava esperando essa pergunta. O que mantém a fé viva quando não existe justificativa aparente para ela é um desejo ardente pela realização dos objetivos definidos. Você pode desejar qualquer coisa. Seu Criador garantiu generosamente que você é o único mestre de seus desejos. Ele também deu a você um poder milagroso pelo qual pode traduzir seus desejos em seu equivalente físico. É a lei da Força Cósmica do

Hábito, pela qual seus hábitos, tanto atos quanto pensamentos, são coletados e levados à sua conclusão lógica.

ALDERFER:

Que maravilha! E bem aqui estamos lado a lado com o segredo supremo de todos os grandes sucessos, porque é fato estabelecido que todos os pensamentos tendem a vestir-se de seus equivalentes físicos – as coisas de que são próximos.

NAPOLEON HILL:

Sim, isso mesmo, e você pode começar agora a ver o propósito por trás da solicitação do Sr. Carnegie para que eu conversasse comigo diante do espelho, e talvez se interesse por saber que foi essa experiência que finalmente me levou a descobrir meus sócios silenciosos conhecidos como Os Nove Príncipes Orientadores.

ALDERFER:

Foi sua a observação de que todas as realizações nas esferas mais altas do sucesso foram induzidas pelo poder da fé duradoura?

NAPOLEON HILL:

Sim, grandes realizações em todas as áreas da vida começam na forma de Definição de Objetivo, amparada por um desejo ardente de sua realização, e isso é refinado na crença da realização. Thomas Edison acreditou que poderia aperfeiçoar a lâmpada elétrica incandescente, e essa crença o levou à vitória final depois de mais de dez mil fracassos. Marconi acreditou que o ar poderia transportar as vibrações do som sem uso de cabos e enfrentou muitos fracassos até ser recompensado pelo triunfo. Helen Keller acreditou que aprenderia a se comunicar, apesar de ter perdido os sentidos da visão e da audição, e sua crença a levou à vitória inevitável. Henry Ford acreditou que poderia construir um veículo sem cavalos que forneceria transporte rápido ao alcance dos meios financeiros de todos, e, apesar de ter encontrado ceticismo generalizado, criou um cinturão em torno da Terra com seu produto e se tornou muito rico com isso.

ALDERFER:
Não existem outros princípios do sucesso que possam ser usados para dar ao indivíduo acesso mais rápido à Fé Aplicada?

NAPOLEON HILL:
Sim, há três outros princípios de sucesso que são intimamente relacionados à Fé: Definição de Objetivo, MasterMind e Fazer o Esforço Extra. Combine-os com Fé Aplicada e terá o que se chama de os Quatro Grandes princípios do sucesso, que são responsáveis, em grande parte, por todos os maiores sucessos.

ALDERFER:
Para resumir o que disse, o procedimento adequado para o desenvolvimento da Fé Aplicada é este: determinar o que você deseja de maneira definida, depois alimentar esse desejo com o calor do desejo ardente, dando diariamente à sua mente subconsciente instruções para que ela o guie até o objeto de seu desejo. Siga esse procedimento até alcançar o sucesso, embora lógica, fatos e experiências passadas possam não o apoiar necessariamente.

NAPOLEON HILL:
Sim, isso resume a história, mas não vamos esquecer que, quando recebemos orientação por meio da mente subconsciente, temos que fazer nossa parte conquistando o direito àquilo que buscamos.

Não existe essa realidade de alguma coisa de graça, e a natureza não tem balcão de troca no porão, como Emerson apontou tão bem em seu ensaio *Compensação*.

ALDERFER:

Por que é necessário repetir o desejo quando se pretende conseguir ajuda da mente subconsciente?

NAPOLEON HILL:

A repetição de um pensamento, plano ou propósito, levando-o à mente com frequência e expressando-o oralmente, serve para delimitar com clareza a imagem mental daquilo que se deseja, para que a mente subconsciente possa agir com inteligência a partir desse desejo. A mente subconsciente não vai agir a partir de nenhuma ideia, plano ou propósito que não seja apresentado a ela com clareza. Estude essa afirmação com cuidado, e ela pode ser a chave para uma compreensão clara dos poderes potenciais da fé. Fé é orientação! Nada mais. Não vai trazer aquilo que você procura, mas vai mostrar o caminho a seguir para você ir atrás disso.

Fé é um estado mental – uma atitude mental positiva. E atitude mental é a única coisa sobre a qual os indivíduos têm absoluto poder de controle e direção. Exercitar esse privilégio promove benefícios estupendos. Deixar de exercitá-lo traz penalidades terríveis. Fé, expressada por uma atitude mental positiva, construiu a maior ponte suspensa do mundo, a Golden Gate, em San Francisco, depois que seu construtor, o engenheiro-chefe Joseph Strauss, não recebeu os fundos necessários para continuar a obra depois que os primeiros pilares caíram no mar, antes de os cabos serem esticados. Fé é esperança, desejo e crença condensados em um estado mental positivo que desafia a análise e ajuda as pessoas a fazerem o impossível.

A fé fez Harry S. Truman presidente dos Estados Unidos em 1948, quando praticamente todo mundo, inclusive os influentes líderes de seu partido, consideravam a eleição impossível. E fé ajudou Franklin D. Roosevelt a reverter a maré do pior estado de medo que essa nação já conheceu, e esse mesmo poder o manteve no gabinete até sua morte.

ALDERFER:
As experiências do Capitão Eddie Rickenbacker, inclusive o naufrágio no oceano durante a Segunda Guerra Mundial, quando ele e os membros de sua tripulação sobreviveram durante 24 dias sem comida, não foram um exemplo milagroso do poder da fé?

NAPOLEON HILL:
Nada poderia ter salvado Rickenbacker e sua tripulação, exceto sua fé inabalável. E foi a mesma fé que permitiu que Eddie Rickenbacker assumisse a praticamente falida Eastern Airlines e a transformasse em um dos grandes sistemas de transporte de nossa nação. Nada é impossível para a pessoa que tem o tipo de fé que manteve o Capitão Rickenbacker vivo nas águas frias do oceano por 24 dias, quando razão e lógica diziam claramente que ele não poderia sobreviver. E a parte impressionante da experiência de Rickenbacker é que ele estabeleceu um relacionamento de MasterMind com a tripulação, transmutando sua fé para eles para que pudessem sobreviver. De algum jeito, homens de grande fé conseguem inspirar os que estão à volta deles para fazer o aparentemente impossível.

ALDERFER:

Diante da comparativa simplicidade com que se pode desenvolver e usar o poder da fé, por que a grande maioria das pessoas nunca se serve desse poder milagroso?

NAPOLEON HILL:

Essa é uma pergunta muito boa, e acho que posso dar a resposta correta. Muitas pessoas mantêm a mente fixa nas coisas e circunstâncias que não desejam, e, naturalmente, é isso que elas atraem. As pessoas bem-sucedidas em todas as áreas da vida mantêm a mente fixa nas coisas que desejam, e a mesma lei que leva o fracasso aos outros traz para elas o sucesso de acordo com seus próprios termos.

ALDERFER:

Chegamos agora à grande questão que está, sem dúvida, na cabeça de todo mundo – o que confere poderes tão milagrosos ao estado mental conhecido como fé? Qual é a fonte de poder com que se pode entrar em contato e a que se pode recorrer pela aplicação da fé?

NAPOLEON HILL:

Você fez a pergunta crucial, sim, mas a resposta é óbvia. A fonte a que se pode recorrer pela fé é o mesmo poder que opera o mundo em que vivemos e o Universo do qual somos uma parte infinitesimal. E o homem é a única criatura viva a quem foram dados meios para acessar esse poder e direcioná-lo para os fins de sua escolha.

ALDERFER:

Sua explicação parece ser muito simples, mas explica a mais profunda de todas as verdades. E para aqueles que estão preparados para isso, ela também fornece uma fórmula pela qual podem atribuir o próprio preço e estabelecer seu estilo de vida, incluindo o acúmulo de todas as riquezas materiais que desejam. Exagerei ao estabelecer os potenciais do poder da fé?

NAPOLEON HILL:

Henry, não há palavras com as quais se possa exagerar as possibilidades da realização humana por meio do poder da fé. Por exemplo, vamos voltar no tempo e rever rapidamente o que foi conquistado durante a primeira metade deste século por meio da aplicação da fé. Vimos Andrew Carnegie, um pobre emigrante da Escócia, dar início à grande era do aço que tornou possíveis centenas de indústrias semelhantes e deu emprego a milhões de pessoas. Vimos Thomas Edison trazer, por seu poder da fé, a grande era elétrica que ilumina milhares de trabalhos e garante emprego para imensos exércitos de homens e mulheres. Vimos Henry Ford colocar o mundo inteiro de joelhos pelo produto de sua imaginação e poder de sua fé. O Sr. Marconi nos mostrou como comandar o ar e fazê-lo nos dar um meio de comunicação sem a ajuda de cabos. Lee DeForest nos deu rádio e televisão. Vimos Luther Burbank extrair os espinhos do cacto e gerar híbridos de flores em combinações de cores que superam muito o trabalho anterior da natureza. Vimos os Irmãos Wright conquistarem o ar e abrirem caminho para viagens em veículos aéreos à velocidade de quinhentos quilômetros por hora e mais. Vimos o desenvolvimento do radar que nos dá o poder para detectar objetos que estão fora do alcance do olho humano. Vimos médicos estudados interromperem surtos de febre tifoide, febre amarela, sarampo e muitas outras doenças que assolaram a raça humana até anos recentes. Vimos engenheiros construírem arranha-céus de cinquenta andares e mais. E a parte mais profunda dessa história das realizações do homem pela Fé Aplicada é que os homens que foram responsáveis por essas bênçãos eram só pessoas comuns, corriqueiras, muitas delas como Thomas Edison, Henry Ford e Andrew Carnegie, com pouca escolaridade formal.

ALDERFER:

O que está dizendo é que ninguém tem o monopólio do poder da fé, e a mais humilde das pessoas pode se apropriar desse poder para a realização dos propósitos que escolher. Apesar disso, não há muitas pessoas que hesitam em se dedicar à criação de novas ideias, por acreditarem que tudo que vale a pena já foi revelado?

NAPOLEON HILL:

Sim, há pessoas assim, e elas são as que estamos buscando inspirar com esses programas de rádio.

ALDERFER:

Não é verdade, Sr. Hill, que uma aliança de MasterMind oferece o melhor de todos os meios para desenvolver e aplicar o poder da fé?

NAPOLEON HILL:

Sim, as grandes realizações dos últimos cinquenta anos resultaram de combinações de mentes trabalhando juntas em espírito de harmonia. E lamento sinceramente não poder incluir em minha lista algumas das grandes realizações dos últimos cinquenta anos, a existência de um sistema prático pelo qual homens e mulheres podem reunir seus poderes físico, mental e espiritual em alguma forma de trabalho de amor que fizesse deste um mundo melhor para se viver. Estou subestimando a realidade quando digo que a fé conjunta de cem pessoas, ou menos, aplicada sob o Princípio do MasterMind, poderia mudar todo o nosso estilo de vida americano de forma a eliminar a pecaminosa perda causada pelo atrito nas relações humanas.

ALDERFER:

Talvez este programa dê a alguém uma ideia que possa ser desenvolvida na aliança de MasterMind que você acabou de mencionar.

NAPOLEON HILL:

Mencionei as possibilidades dessa aliança por isso mesmo e sugiro que o primeiro objetivo dela seja eliminar a guerra fria travada entre a administração e a mão de obra organizada. Espero ver o dia em que poderei unir forças com um líder laboral competente que vai me permitir ajudá-lo a comandar seu sindicato com base na Regra de Ouro. E também espero viver para ver o dia em que poderei doar meus serviços a algum industrial ou empresário que me permita emprestar minha fé em um sistema de relações entre empregador e empregados que torne as greves impossíveis, porque não haverá causa para elas.

ALDERFER:

Você falou na guerra fria travada atualmente entre a administração e a mão de obra organizada. Não é verdade que essa guerra às vezes esquenta?

NAPOLEON HILL:

Sim, é verdade! E essa é uma forma de comportamento humano indigna de um grande país como o nosso, onde a liberdade humana é nosso maior estímulo, e as oportunidades individuais ultrapassam as que estão disponíveis em qualquer lugar do mundo.

ALDERFER:

Sr. Hill, creio que se colocou em uma posição complicada ao oferecer seus serviços publicamente para a mão de obra organizada e a administração industrial. Está falando sério?

NAPOLEON HILL:

Nunca falei mais sério em minha vida. Além do mais, minha oferta se estende não só à administração e à mão de obra, mas aos indivíduos também! Toda a minha vida foi dedicada a ajudar pessoas a destravar e usar os grandes poderes disponíveis a elas por meio da Fé Aplicada. Já passei do meio-dia da vida, cheguei à tarde. Daqui em diante, quero multiplicar-me por alguns milhares de homens e mulheres sinceros que entrem comigo em alianças de MasterMind a fim de ajudarmos cada uma dessas pessoas a encontrar um estilo de vida melhor e, ao mesmo tempo, dar ao mundo uma saudável demonstração dos poderes da Regra de Ouro em todas as relações humanas.

ALDERFER:

Sua ideia é maravilhosa. Sabe se alguém já tentou pôr esse plano em prática?

NAPOLEON HILL:

Sim, sei de pelo menos uma dezena de empresas que operam com sucesso baseando-se na Regra de Ouro, nas quais os empregados recebem salários melhores que a média e os empresários têm lucros maiores que a média. Mas a demonstração mais animadora que já vi aconteceu na pequena cidade de Paris, Missouri, alguns anos atrás, quando 93 homens e mulheres formaram uma aliança de MasterMind e começaram a cooperar com base na Regra de Ouro depois de terem assistido a uma de minhas palestras sobre os princípios do sucesso organizados por mim. Eles se organizaram sob o nome de Club Success Unlimited e fizeram milagres, literalmente, que beneficiaram não só eles mesmos, mas também toda a comunidade.

ALDERFER:
Ouvi falar sobre o experimento em Paris, Missouri. Na verdade, conheci alguns membros do grupo que inaugurou o plano de Paris. Pode descrever o que essas pessoas conseguiram com a implantação do plano?

NAPOLEON HILL:
O tempo permite apenas uma breve descrição de parte dos resultados, mas você pode ter uma boa ideia do que aconteceu a partir dos comentários de um cidadão de Paris que nem era membro do grupo: "Vivo aqui há setenta anos, e em todo esse tempo nunca vi nada ou nenhuma influência que tenha melhorado tanto as relações de nossa gente como esse grupo do clube do sucesso".

ALDERFER:
Pode nos contar alguns casos individuais que aconteceram com os membros do grupo em Paris?

NAPOLEON HILL:
Bem, havia o Dr. Barnett, um médico local cujo consultório ficava em uma sala em um imóvel velho. Ele pegou o espírito da coordenação amigável de esforços por meio de sua aliança com os outros e construiu uma das melhores clínicas médicas de Missouri. O prédio fica em uma importante rua comercial e inspirou outros profissionais e homens de negócios a melhorar suas propriedades.

Uma mulher que participava do grupo era professora da escola pública local, ganhava um salário comum de professora. Sua associação com o grupo do sucesso a inspirou a começar um negócio próprio de cerâmicas, a que ela se dedica em seu tempo livre, e que rende mais que o trabalho como professora.

Um clérigo, Dr. Bailey, comandava uma igreja protestante com uma congregação de cerca de quatrocentas pessoas, com não mais que 35 comparecendo aos serviços dominicais. Por intermédio da associação com o grupo do sucesso, ele lotou sua igreja. Mais ainda, os membros não praticantes não só passaram a frequentar os cultos, como também se tornaram membros pagantes, pois doaram dinheiro para fazer uma reforma completa no prédio da igreja.

ALDERFER:

E tudo isso aconteceu em um período de poucos anos?

NAPOLEON HILL:

Sim, mas espere! Você ainda não ouviu a metade. Um jovem membro do grupo trabalhava em um posto de gasolina. Com a confiança que adquiriu dessa aliança com outras pessoas, ele abriu um negócio próprio e hoje administra quatro grandes veículos de frete e vans de mudança rápida. Doc Gutherie, um encanador, era membro do grupo do sucesso. Sua oficina ficava em um pequeno porão escondido, e era difícil achá-la. Por sua associação com o grupo, ele adquiriu a fé que lhe permitiu construir um dos melhores *showrooms* na principal rua de Paris, e a loja conta com um estoque variado de material elétrico para todos os fins, e os negócios cresceram muito. O Mark Twain Café, que empregava Carl Bodits, um jovem chef de Chicago, estava para fechar por falta de movimento, quando ele se juntou ao grupo do sucesso. Pela fé adquirida com a associação, ele hoje é dono do café. Construiu uma bela casa, comprou um carro novo e tem um negócio que pode vender por um excelente valor. Um carpinteiro que se juntou ao grupo do sucesso adquiriu fé suficiente para promover-se a uma posição muito boa como vendedor, na qual ganha muitas vezes o que ganhava como carpinteiro.

ALDERFER:
Que maravilha. É quase como *Alice no país das maravilhas.*

NAPOLEON HILL:
Sim, é maravilhoso, de fato, e dá uma boa ideia do que pode acontecer quando cada vilarejo, povoado e cidade na América fica sabendo sobre a história de Paris e começa a reproduzi-la. As pessoas de qualquer cidade poderiam mudar suas relações humanas para que todos fossem felizes e prósperos.

ALDERFER:
Algum grande poder positivo deve ter entrado na vida do povo de Paris. Poderia identificar esse poder?

NAPOLEON HILL:
Com muita facilidade! Eles estavam simplesmente seguindo o princípio da Fé Aplicada! Antes apenas falavam sobre fé e declaravam tê-la, mas não faziam nada para fazer essa fé valer na vida diária.

ALDERFER:
Acredita que as pessoas em outras cidades pequenas como Paris, Missouri, estão igualmente preparadas para uma vida melhor, como estavam os membros do grupo de sucesso de Paris?

NAPOLEON HILL:

Pessoas são pessoas, não importa onde vivam, e seus problemas, suas necessidades, seus motivos são basicamente os mesmos. Sim, existe uma oportunidade de ouro para reproduzir a história de Paris em todas as pequenas cidades e vilarejos da América e, de fato, no mundo!

ANUNCIANTE:

Vocês acabaram de ouvir Napoleon Hill. Este foi mais um programa da *Success School of the Air – Success Unlimited.* No próximo domingo, no mesmo horário, Napoleon Hill estará novamente nesta estação. O assunto será "Como desenvolver uma personalidade vencedora". Não perca, porque ele pode lhe dar um olhar melhor sobre si mesmo.

SABEDORIA PARA VIVER

1. Sua mente foi equipada com um portal de acesso para a Inteligência Infinita que passa pelo que é conhecido como mente subconsciente.
2. Napoleon Hill fala sobre o poder da fé, que significa ter confiança e uma crença absoluta de que se pode fazer alguma coisa. Esse poder da fé chega até nós de uma Fonte Superior.
3. Fé é um estado mental que resulta no condicionamento da mente para estabelecer uma associação funcional com o Poder Universal. Fé Aplicada é a adaptação do poder recebido para realizar seus objetivos.
4. Todos fomos equipados pelo Criador com certas capacidades que nos permitem entrar em uma relação definida, positiva, com esse Poder Infinito, e aplicá-la para a realização de nossos objetivos.
5. Napoleon Hill fornece três passos fáceis para criar um estado mental conhecido como fé.
    a. Expressar um desejo ardente de realização de seu objetivo principal definido e relacioná-lo a um ou mais dos motivos básicos.

    b. Criar um plano definido e específico para a realização de seu desejo ardente.

    c. Começar a agir imediatamente a partir de seu plano, apoiando-o com todo o esforço consciente.

ADVERSIDADE E VANTAGEM

1. Quando você toma a decisão de fazer algo definido, as adversidades surgirão para impedir seu sucesso, se puderem. É simplesmente uma maneira de testar sua fé. Quanto mais testes sua fé enfrenta, mais ela se fortalece.
2. Quando essas derrotas temporárias surgirem, aceite-as como uma inspiração para um esforço maior e mais determinação de sua parte. Mantenha a crença de que vai ter sucesso. Tenha a certeza de prestar serviço de valor igual ou maior que as riquezas que busca. A fé vai lhe dar o poder para converter adversidades e derrotas temporárias em uma força igual para o bem.

CAPÍTULO 7

COMO DESENVOLVER UMA PERSONALIDADE VENCEDORA

(PRÉ-REQUISITO PARA TORNAR-SE UM GRANDE LÍDER)

Deixa-me abraçar-te, azeda adversidade, pois homens sábios dizem que essa é a escolha mais sábia.

– Shakespeare

VISÃO GERAL

Neste capítulo, você vai aprender uma das mais valiosas habilidades necessárias ao sucesso: influenciar pessoas sem aborrecê-las.

Hill vai revelar por que uma personalidade vencedora é tão importante para o sucesso e o que você deve fazer para alcançá-la. Você vai ter as respostas para essas questões fundamentais:

- △ Por que é tão importante ter um relacionamento harmonioso com os outros?
- △ Qual é a qualidade essencial para o acúmulo de todas as riquezas?
- △ De que característica preciso para converter derrota em vitória?
- △ Como atraio a cooperação amigável de outras pessoas?

Compreender esses conceitos vai permitir que você adquira as habilidades essenciais para influenciar outras pessoas. Com esse conhecimento, você pode se transformar em uma pessoa magnética e atrair as pessoas certas para cooperar com você para seu sucesso.

PROGRAMA 7. COMO DESENVOLVER UMA PERSONALIDADE VENCEDORA

ANUNCIANTE:

Success Unlimited está no ar, apresentando mais uma vez o renomado filósofo do sucesso Napoleon Hill, cujos livros sobre sucesso são agora publicados e distribuídos como *best-sellers* em todos os países civilizados, onde beneficiaram milhões de pessoas. Hoje Napoleon Hill traz a ideia e a promessa de que, se estiver pronto para aceitá-la, você pode mudar para melhor não só sua vida, mas também toda a sua comunidade ou o lugar onde trabalha, bem como a atmosfera mental de sua casa. E agora, com vocês, Henry Alderfer, diretor associado do Napoleon Hill Institute, que vai auxiliar Napoleon Hill neste programa. Sr. Alderfer.

ALDERFER:

Obrigado. Hoje vamos trazer para vocês um princípio muito importante na filosofia do sucesso: Como Desenvolver uma Personalidade Vencedora. Nossa personalidade é a soma de tudo que constitui nossas características mentais, emocionais e temperamentais. Entendo, Sr. Hill, que você separou os fatores de personalidade em características específicas e identificou trinta fatores de uma personalidade agradável. O tempo não permite cobrirmos todos eles, mas vamos discutir alguns dos mais importantes.

Com vocês, Napoleon Hill, que passou a maior parte da vida provando a solidez do princípio sobre o qual vai falar nesta tarde.

NAPOLEON HILL:

Boa tarde, meus amigos da rádio. Vamos começar com a mais importante dessas características de uma personalidade agradável, que é uma atitude mental positiva. Você pode ter uma boa ideia do importante papel que uma atitude mental positiva desempenha em sua vida considerando o fato de que ela influencia seu tom de voz, a expressão no rosto e a postura corporal, modifica cada palavra que você fala e determina a natureza de suas emoções. Na verdade, ela faz mais que tudo isso. Ela afeta cada pensamento que você projeta, estendendo assim sua influência a todos que estão ao seu alcance.

Só para exemplificar, vamos relacionar algumas coisas desagradáveis causadas por uma atitude mental ruim. Ela reduz seu entusiasmo, cerceia a iniciativa, acaba com o autocontrole, subjuga a imaginação, mina o desejo de cooperar, provoca mau humor e intolerância e desequilibra o poder de raciocínio.

ALDERFER:

Como uma atitude mental negativa afeta um profissional; por exemplo, um advogado, professor ou médico?

NAPOLEON HILL:

Um advogado que vai para o tribunal com uma atitude mental negativa ou ruim pode se deparar com juiz e júri se opondo a ele, embora tenha um caso perfeitamente justo. O professor que entra em sala de aula com o mesmo tipo de atitude vai obter as mesmas reações negativas dos alunos, e o médico que atende seus pacientes com uma atitude mental negativa pode fazer mais mal do que bem. Um homem pode ter toda a cultura que a civilização moderna pode oferecer; pode ter vários diplomas; pode ser o mais competente em sua área, mas será um fracasso se tiver uma atitude mental negativa. Uma coisa que as pessoas não toleram é uma atitude mental negativa.

ALDERFER:

Soube que o braço direito do Sr. Carnegie, Charles Schwab, ganhava muito bem, tanto em salário quanto em bônus. Qual era o verdadeiro poder por trás do Sr. Schwab?

NAPOLEON HILL:

Quando você analisa a personalidade do Sr. Schwab nos mínimos detalhes, descobre por que ele se tornou o homem bem-sucedido que era. Schwab começou trabalhando para Carnegie como um funcionário comum. Tinha pouca escolaridade e poucos talentos especiais, mas era dono de uma característica importante que sugere o motivo de seu sucesso. Schwab tinha uma atitude mental perfeita em relação a si mesmo e às pessoas com quem entrava em contato.

ALDERFER:

Onde e como ele desenvolveu essa atitude?

NAPOLEON HILL:

Provavelmente, ele nasceu com antecedentes flexíveis para o cultivo dessa atitude, mas adquiriu o hábito de expandi-la por se associar a um grupo de homens que incluía como seu dever diário desenvolver e manter uma atitude mental positiva.

Antes de passarmos a outro fator de uma personalidade agradável, quero dizer que esse assunto de uma atitude mental positiva vai aparecer para ser considerado em todas as outras qualidades de personalidade que vamos analisar. Definitivamente, tem relação com todas elas, fato muito importante.

O vendedor que começa o dia com uma atitude mental negativa pode receber alguns pedidos antigos, mas não vai vender nada, e seria melhor se ficasse em casa até melhorar sua atitude mental.

Ele não só não vai fazer venda nenhuma enquanto estiver com uma atitude mental negativa, como também vai fazer inimigos e perder clientes, muito provavelmente.

O jogador que entra em campo com uma atitude mental negativa vai perder o controle sobre a bola, quase certamente, e nem vamos mencionar a antipatia da torcida na arquibancada.

O motorista com uma atitude mental negativa torna-se uma ameaça para outros motoristas, embora possa ser um especialista ao volante. Agentes de trânsito relatam que grande parte dos acidentes com automóveis é causada por motoristas irritáveis e, portanto, negligentes em seus hábitos ao volante.

ALDERFER:

Estou começando a entender por que esses fatores são tão importantes, porque tudo que fazemos e todo contato que temos com outras pessoas é uma medida de nossa personalidade. Há outra característica que considero muito importante e vamos chamar de flexibilidade. O que queremos dizer com flexibilidade?

NAPOLEON HILL:

Flexibilidade consiste no hábito de adaptar-se a circunstâncias que mudam rapidamente sem perder a compostura. Um homem com uma disposição flexível deve ser como um camaleão, capaz de mudar de cor rapidamente para harmonizar-se com o ambiente. Andrew Carnegie disse que a flexibilidade foi uma das qualidades que transformaram Charles Schwab em um dos maiores vendedores da América. Ele era capaz de sentar no chão e jogar bolinha de gude com um grupo de meninos, depois se levantar e entrar no escritório pronto para participar de uma reunião de MasterMind onde era chamado a tomar decisões que envolviam milhões de dólares.

Uma pessoa que não tem a qualidade da flexibilidade não será um bom líder empresarial ou industrial, ou em qualquer tipo de posição de supervisão em que o sucesso dependa da cooperação de terceiros. O supervisor de fábrica que tem uma personalidade flexível pode obter completa cooperação de todos os subordinados, porque vai se relacionar com cada um deles de acordo com a personalidade daquele homem.

A vida é uma série contínua de experiências em vendas nas quais o indivíduo precisa se vender a cada pessoa que encontra em seus contatos sociais, profissionais ou ocupacionais, e, se esse indivíduo não tem a personalidade agradável que lhe permite harmonizar sua atitude mental com as pessoas com quem entra em contato, ele não vai se vender com sucesso.

ALDERFER:

Ouvi dizer que outra característica muito importante é a prontidão de decisão, e homens bem-sucedidos são bem-sucedidos porque tomam decisões rápidas e definitivas e se irritam com quem não age prontamente. O que pensa dessa declaração?

NAPOLEON HILL:

Quando você observa as pessoas, nota que aquelas que procrastinam para tomar uma decisão e nunca decidem não são populares ou bem-sucedidas. Este é um mundo de ação rápida, e aqueles que não se movem de modo rápido e definitivo só ficam no caminho dos que sabem para onde vão e o que procuram.

Prontidão de decisão se relaciona com definição de objetivo, o ponto de partida de toda realização individual digna de nota, e vivemos em um mundo onde realização pessoal é possível em grande escala por causa da grande abundância de oportunidades em todas as áreas. Mas a oportunidade não espera ninguém. O homem com visão para reconhecer oportunidade e prontidão de decisão para agarrá-la vai sair na frente. Os outros serão seguidores e vão ficar para trás, muito para trás.

ALDERFER:

É muito interessante notar que toda pessoa que desenvolve uma personalidade vencedora precisa estudar o próprio rosto e mantê-lo sob controle, para que possa transmitir por meio dele todo sentimento que desejar. Em outras palavras, precisa usar seu rosto e deve ter um tom de voz agradável; tem que dar vida a essa voz com o hábito de sorrir, e a dramatização da voz pode ser ilustrada pela expressão em seu rosto. Essas três características – tom de voz, hábito de sorrir e expressão facial – dizem muito sobre uma pessoa, não?

NAPOLEON HILL:

Sim, dizem. A palavra falada é o meio pelo qual se expressa a personalidade de maneira mais eficiente. O tom de voz, portanto, deve estar tão definitivamente sob controle que possa ser colorido e modificado de maneira a transmitir qualquer significado desejado, em adição às palavras usadas. O vendedor, clérigo, professor, advogado e palestrante profissional bem-sucedidos, que ganham a vida falando, costumam controlar o tom de voz. Assim, as palavras são dramatizadas, e é conferido a elas o significado desejado. Um homem com uma personalidade vencedora sabe como transmitir suas emoções e o faz pela modificação do tom de voz. Ele pode expressar raiva, medo, curiosidade, desprezo, perigo, ressentimento, sinceridade, desprezo, ansiedade e uma grande variedade de outras emoções pelo controle do tom de voz. O preço da perfeição nessa característica, como em tantas outras, é paciência e prática eternas.

ALDERFER:

Entendo que o hábito de sorrir também é uma característica muito valiosa para se dar bem com as pessoas.

NAPOLEON HILL:

Sim, e esse hábito, como muitos outros, tem relação direta com a atitude mental do indivíduo e revela a natureza de sua atitude mental com meios de identificação quase perfeitos. Se você não se preocupa com o relacionamento entre o hábito de sorrir e a atitude mental, tente sorrir quando estiver com raiva e vai ver com que rapidez mudará de um estado negativo para um positivo. As pessoas mais bem-sucedidas em praticamente todas as áreas são aquelas que entendem a arte da dramatização de seu discurso. Elas podem contar uma história, pedir um favor, dar uma ordem ou até repreender um subalterno de tal maneira que suas palavras tenham um efeito impactante e duradouro, e podem fazer isso com um sorriso no rosto.

ALDERFER:

Entendo, então, que as características de personalidade podem ser aperfeiçoadas por quem quiser se fazer agradável, e, considerando que a personalidade do indivíduo é seu maior bem ou seu maior prejuízo, não pode haver desculpa legítima para deixar de melhorá-la. Isso nos leva à terceira dessas características, a expressão facial. Ouvi dizer que um analista de personalidade competente consegue identificar a natureza do caráter de alguém com um olhar para a expressão em seu rosto. Isso é verdade? Os analistas de personalidade são as únicas pessoas que podem fazer isso, ou todo mundo faz, de maneira consciente ou inconsciente?

NAPOLEON HILL:

Você pode saber muito do que passa pela cabeça de alguém pela expressão no rosto dessa pessoa, assim como pode julgar o que um cachorro está pensando por sua expressão e pelo movimento da cauda. Um sorriso produz um alinhamento dos músculos faciais, enquanto uma expressão carrancuda cria um arranjo inteiramente diferente, mas cada um transmite com precisão infalível o sentimento que ocupa a mente da pessoa nesse momento.

Advogados habilidosos ao interrogar testemunhas no tribunal muitas vezes têm grande habilidade para julgar pela expressão no rosto delas quando estão mentindo e quando estão dizendo a verdade. Vendedores magistrais seguem a mesma regra. Podem detectar, pela observação cuidadosa do rosto de um comprador em potencial, a natureza de seus pensamentos. Assim, o sorriso, o tom de voz e a expressão do rosto constituem janelas abertas pelas quais se pode ver o que acontece na mente das pessoas. O indivíduo inteligente sabe quando manter essas janelas fechadas. E também sabe quando as abrir.

A fim de lembrar essas três aberturas para a mente, podemos chamá-las de "Três Grandes" características de uma personalidade vencedora, que são o sorriso, a expressão facial e o tom de voz.

ALDERFER:

Isso é muito interessante, e agora entendo por que se diz que algumas pessoas têm cara de jogador de pôquer, e por que outras não conseguem esconder nada; essas "Três Grandes" revelam seus pensamentos mais íntimos.

Há outra característica que se encaixa bem nessas, a que diz que há sempre um tempo certo e um tempo errado para tudo. Acredito que nossos ouvintes sabem que estamos falando de tato.

Sabemos que essa característica tem seu lugar em nossas relações com as pessoas. Que papel o tato desempenha em nossas associações com os outros?

NAPOLEON HILL:

Tato consiste em fazer e dizer a coisa certa na hora certa, e aqui vão alguns jeitos de mostrar falta de tato: o hábito de falar fora de hora, interrompendo os outros, fazendo perguntas impertinentes, ir aonde não foi convidado, reter as pessoas ao telefone com conversa inútil, desafiar a lógica da opinião alheia, falar mal dos outros, corrigir subordinados e ajudantes na presença de terceiros, reclamar ao receber pedidos de favor, usar linguagem profana, expressar antipatia com muita liberdade e tentar minimizar as conquistas de outra pessoa.

ALDERFER:

Isso é muito interessante, e a maioria de nós tem uma ou mais dessas características que impedem uma personalidade vencedora. Se pudéssemos verificar nossa personalidade a partir dessa lista que acabou de mencionar, poderíamos fazer grandes descobertas que nos beneficiariam.

Entendo que outra característica importante de uma personalidade vencedora é a tolerância. Alguém uma vez disse que intolerância atrasou o progresso da civilização em mil anos. Isso pode ser um eufemismo, mas qual é o verdadeiro significado de tolerância?

NAPOLEON HILL:

Tolerância consiste em uma mente aberta sobre todos os assuntos em relação a todas as pessoas e o tempo todo. Uma pessoa intolerante tem opiniões fixas sobre quase todos os assuntos e costuma expressar essas opiniões com liberdade, sem ouvir a opinião dos outros. Ele cria as próprias regras de conduta pessoal para acomodar seus caprichos pessoais, gostos e antipatias. Essa pessoa costuma ser impopular. A pessoa intolerante nunca parece aprender a verdade sobre os efeitos de expressar suas opiniões, mas continua sendo um ofensor, o que leva a se pensar se intolerância é realmente um traço negativo de personalidade ou uma doença incurável.

ALDERFER:

Essa parece ser uma observação interessante, porque sei que a intolerância limita o privilégio do indivíduo de apropriar-se do conhecimento e da experiência de outras pessoas e usá-los. Em sua pesquisa, você descobriu que ela também tem outros efeitos. Pode relacionar alguns?

NAPOLEON HILL:

Com prazer. Ela cria inimizades onde, de outra forma, haveria amigos; interrompe o crescimento mental, eliminando a busca por conhecimento; e impede autodisciplina e precisão de pensamento e raciocínio.

ALDERFER:

Um grande filósofo manifestou sua opinião sobre esse assunto da intolerância em um credo pessoal que escreveu para se proteger contra esse mal. Pode recitá-lo para os nossos ouvintes?

NAPOLEON HILL:

"Que eu mantenha a mente aberta para todos os assuntos a fim de poder crescer no aspecto mental e espiritual. Que nunca chegue o tempo quando estarei acima de aprender com a pessoa mais humilde. Que eu nunca esqueça que uma mente fechada é uma mente estreita. Que eu nunca caia no hábito de expressar opiniões sobre nenhum assunto, a menos que sejam baseadas em conhecimento razoavelmente confiável. Não me permita jamais considerar errado alguém porque essa pessoa não concorda com minha opinião sobre algum assunto. Impeça-me sempre, oh, Poder da Razão, de falar sem ter sido convidado. Que eu sempre mostre completo respeito por aqueles com quem talvez não concorde. Lembre-me sempre de que a coisa que mais sei é que sei pouco demais sobre tudo, que a soma do conhecimento adquirido pela humanidade não é suficiente para justificar que nenhum homem se gabe de seu conhecimento. Dê-me a coragem de admitir que não sei a resposta quando me perguntarem alguma coisa sobre a qual eu saiba pouco ou nada. Que eu sempre compartilhe espontaneamente o humilde conhecimento que eu possa ter e que seja útil a outras pessoas. E nunca me deixe esquecer que humildade atrai mais amigos que toda a sabedoria da humanidade. Que eu permaneça sempre um estudante em busca da verdade e nunca finja ser um estudioso pronto sobre qualquer assunto. Que eu me lembre sempre de que o maior de todos os privilégios é expressar tolerância pelo exemplo. E nunca me deixe esquecer as palavras 'Esperança, Fé e Caridade'."

ALDERFER:

Tem outra importante característica de personalidade sem a qual uma pessoa não consegue se dar bem na vida, especialmente nos dias tensos de hoje.

NAPOLEON HILL:

Ah, sim, sei do que está falando, é senso de humor. Quem não tem causa nos outros a impressão de um exagerado sentimento de superioridade, e, nos trabalhadores subalternos, o receio de que sua atitude dominante deve ser respeitada. Um senso de humor bem desenvolvido ajuda o indivíduo a se tornar flexível e ajustável a circunstâncias variáveis da vida. Também o capacita a relaxar e se tornar humano, em vez de parecer frio e distante, uma característica que não atrai amigos. Vivemos tempos em que senso de humor impede a pessoa de levar a si mesma e o mundo a sério demais, uma propensão de muitos.

A pessoa que não consegue relaxar e rir na hora certa é digna de pena, porque perde a melhor parte dos benefícios da vida, quaisquer que sejam seus outros pontos favoráveis. Ele precisa de um método para escapar de sua ocupação rotineira, e esse senso de humor permite que rompa os grilhões da monotonia. Um sorriso afasta muitas preocupações e carrancas. Senso de humor também protege contra tornar-se intolerante, e prova disso é encontrada no fato de praticamente todo intolerante exibir uma expressão séria, como se o peso do mundo estivesse sobre seus ombros.

ALDERFER:

Não seria maravilhoso se tivéssemos todo o tempo necessário para discutir todas essas qualidades de uma personalidade vencedora? Porque, pelo que disse, parece difícil escolher algumas qualidades e eliminar outras.

NAPOLEON HILL:

Sim, Henry, e pode ser apropriado dedicarmos algum tempo a algumas das que faltam para dar aos ouvintes uma ideia sobre elas. Por exemplo, sabemos que não podemos nos tornar populares a menos que nos demos bem com os outros e sejamos justos. Um senso de justiça apurado é uma característica muito importante.

ALDERFER:

Entendo que só existem dois tipos de pessoas: honestas e desonestas. Não pode haver meio-termo. Você é um, ou outro, e seja qual for, isso se reflete em sua personalidade.

NAPOLEON HILL:

É verdade, e os benefícios da honestidade são os seguintes: ela estabelece uma base sólida de confiança; desenvolve um caráter fundamentalmente firme e confiável; não só atrai pessoas, mas também oferece oportunidades para ganho pessoal relacionado à ocupação do indivíduo. Gera um sentimento de autoconfiança e autorrespeito e prepara a mente para aquele poder conhecido como fé. Honestidade desestimula avareza, ganância, inveja, ódio e egoísmo e dá ao indivíduo uma compreensão muito melhor de seus direitos, privilégios e responsabilidades.

ALDERFER:

Entendo que há outra característica importante que deve ser incluída em nosso programa: a humildade. O que dizer sobre ela?

NAPOLEON HILL:

Ah, sim, muito importante, na medida em que arrogância, ganância e egoísmo são características ausentes da personalidade de alguém com essa qualidade. Humildade liberta o indivíduo da influência dessas características indesejáveis. É consequência da compreensão do relacionamento do homem com seu Criador, mais o reconhecimento de que as bênçãos materiais da vida são presentes do Criador para o bem comum de toda a humanidade. O homem que está de bem com sua consciência e em harmonia com seu Criador é humilde, independentemente de quanta riqueza material tenha acumulado ou de suas realizações pessoais.

ALDERFER:
Também é claro, para mim, que pessoas que não têm um interesse geral em compreender o mundo em que vivem e não conseguem se expressar satisfatoriamente quase nunca são interessantes ou atraentes.

NAPOLEON HILL:
É verdade. A afirmação que acabou de fazer inclui duas características: curiosidade e discurso eficaz. As pessoas mais populares são as mais curiosas. Têm ao menos um conhecimento superficial sobre muitos assuntos, se interessam pelas pessoas e suas ideias e se esforçam para expressar esse interesse onde ele inspire reação apropriada e benéfica para elas.

O indivíduo pode ser curioso, mas, se não consegue ficar em pé e falar com a força que indica uma mente alerta e pensante, sem medo ou constrangimento, sobre qualquer assunto de sua escolha, sua personalidade sofre grande prejuízo. O fator mais importante no discurso eficaz é um conhecimento aprofundado sobre o assunto de que se fala, e a maior de todas as regras do discurso eficaz pode ser estabelecida em uma frase: "Conheça o assunto de que quer falar, fale com toda a emoção de que for capaz, depois sente-se".

ALDERFER:
Isso é muito interessante, porque muita gente deixa de seguir essa última regra, e por isso há tanta confusão hoje em nossa vida.

Não tivemos tempo para discutir todas as características de uma personalidade agradável, mas talvez possamos encerrar essa conversa falando com nossos ouvintes sobre alguns hábitos comuns que destroem o que uma personalidade tem de atraente.

NAPOLEON HILL:

Certo, vamos lá. Egoísmo, expresso em palavras, atos ou pensamentos silenciosos; sarcasmo, expresso por piadinhas que não têm tanta graça; exagero, geralmente devido à imaginação descontrolada; uma tentativa óbvia de lisonja sem justificativa. Elogio honesto não desagrada ninguém, mas é preciso ter cuidado para não os distribuir com muita liberdade. Aqui vão outras: descaso na postura do corpo, na arrumação pessoal e na fala; tentativa de criar uma impressão de superioridade com o uso de termos e temas desconhecidos por outras pessoas; falta de sinceridade, geralmente expressa por alguma forma de lisonja; hábito de apontar defeitos nas pessoas e no mundo em geral. Ninguém gosta de um pessimista confirmado ou de um sabe-tudo. O hábito da hipocondria, isto é, doença imaginária, geralmente manifestado em uma descrição detalhada da falta de saúde do indivíduo, ou de seus amigos e parentes; o hábito de menosprezar quem tem uma habilidade superior, conquistas pessoais ou educação; o hábito de criticar o que não entende; falta de consideração, como ligar o rádio bem alto e sair da sala, deixando o barulho irritar os vizinhos; e o desejo óbvio de obter alguma coisa de graça.

Se está interessado em melhorar sua personalidade, você deve analisar-se em comparação aos hábitos comuns que destroem uma personalidade vencedora. Descobrirá que, eliminando esses hábitos comuns, vai se desenvolver em uma pessoa que será querida por outras, porque tem uma personalidade vencedora.

ALDERFER:

Obrigado, Napoleon Hill. O princípio discutido hoje foi muito valioso, e, se nossos ouvintes têm interesse em mudar para melhor, podem condicionar a mente à ideia de que todas essas características de personalidade são acessíveis, se assim eles acreditarem e agirem a partir delas com fé aplicada em sua vida diária.

No próximo domingo, vamos discutir o princípio da autodisciplina, fazendo a seguinte pergunta: "Você tem controle sobre si mesmo e suas atitudes?".

SABEDORIA PARA VIVER

1. Sua personalidade é a soma de características mentais, espirituais e físicas que o distinguem dos outros.
2. Ela é o fator que determina se os outros gostam de você ou não.
3. É o meio pelo qual você vai percorrer seu caminho na vida. Ela determina, em grande medida, sua habilidade de associar-se e cooperar com os outros com um mínimo de atrito e oposição.
4. Nas características de uma personalidade vencedora descrita por Napoleon Hill, você tem uma ferramenta de medida para determinar e avaliar com precisão sua personalidade.
5. O valor financeiro de uma personalidade vencedora pode ser calculado observando-se que aqueles que têm personalidades negativas, desagradáveis, raramente são vistos em posições de responsabilidade. Não são encontrados nos níveis mais altos de renda. Pessoas com personalidades vencedoras têm pouca dificuldade para se venderem em todos os relacionamentos.
6. Sua personalidade é seu maior bem e pode ser seu maior prejuízo; sua personalidade é sua marca registrada.

ADVERSIDADE E VANTAGEM

Napoleon Hill disse que uma das maiores habilidades necessárias para ser bem-sucedido é a capacidade de negociar com outras pessoas sem irritá-las. Essa habilidade o equipa com o mais importante fundamento de liderança em qualquer vocação ou profissão. Ela estabelece harmonia dentro de sua mente, o primeiro requisito para a harmonia no relacionamento com outras pessoas. É um bem essencial para o acúmulo de todas as riquezas materiais. Envolve tudo que controla a mente, o corpo e o espírito. Ajuda a transformar derrota em vitória. Nenhuma adversidade é insuperável se você adquirir todas as características de uma personalidade vencedora.

CAPÍTULO 8

AUTODISCIPLINA

(UM PODER MENTAL PRÓXIMO DE DIVINDADE)

O homem que adquire a habilidade de tomar plena posse da própria mente pode tomar posse de tudo o mais a que tiver direito legítimo. E o homem que domina a si mesmo pela autodisciplina nunca poderá ser dominado pelos outros.

– Andrew Carnegie

VISÃO GERAL

Neste capítulo, Hill explora o incrível poder do autocontrole, ensinando a você como usar autodisciplina de forma a nunca ceder à derrota e ao desestímulo.

O propósito desta lição é ajudá-lo a encontrar sabedoria, felicidade e paz de espírito. Você vai:

- Descobrir os meios para desenvolver autocontrole e os benefícios que ele traz.
- Conhecer as áreas de sua vida nas quais precisa de autocontrole.
- Aprender a equilibrar as emoções e a razão.

Descobrir esses aspectos sobre você pode ser um verdadeiro ponto de transformação em sua vida. Saber como desenvolver e praticar autodisciplina vai mudar seus hábitos para sempre; você vai trilhar um caminho em direção à realização sem a possibilidade de se desviar dele e vai seguir com passos firmes para a vida de seus sonhos.

PROGRAMA 8. AUTODISCIPLINA

ANUNCIANTE:

A *Success Unlimited* está no ar, apresentando mais uma vez o renomado filósofo Napoleon Hill, cujos livros sobre sucesso são hoje publicados e distribuídos como *best-sellers* em todos os países civilizados, onde beneficiaram milhões de pessoas. Hoje Napoleon Hill traz para vocês uma ideia e promete que, se estiverem prontos para aceitá-la, ela pode mudar para melhor não só sua própria vida, mas também toda a sua comunidade e o lugar onde você trabalha, bem como a atmosfera mental de sua casa. E agora, aqui, Henry Alderfer, diretor associado de educação do Napoleon Hill Institute, que vai auxiliar Napoleon Hill neste programa. Sr. Alderfer.

ALDERFER:

Obrigado. Hoje vamos apresentar o princípio da Autodisciplina, ou o controle de seus pensamentos e suas atitudes. Não há um único requisito para o sucesso individual que seja tão importante quanto autodisciplina. Significa apoderar-se da própria mente, e aqui está Napoleon Hill, que vai falar sobre alguns benefícios que chegam a quem aprende a dominar esse princípio.

NAPOLEON HILL:

Boa tarde, meus amigos. Sim, Henry, há diversos benefícios que você vai receber quando dominar esse princípio, e alguns são: sua imaginação vai se tornar mais alerta; seu entusiasmo será mais aguçado; sua iniciativa será mais ativa; sua autoconfiança será maior; o escopo de sua visão será ampliado; você vai olhar para o mundo com olhos diferentes; sua personalidade vai se tornar mais magnética; suas esperanças e ambições serão mais fortes; e sua fé será mais poderosa.

ALDERFER:

É uma boa lista de resultados, capaz de satisfazer qualquer um que realmente pratique esse princípio. Quando se disciplina, você se controla em palavras e atos. Isso resulta no controle sobre as emoções, não é?

NAPOLEON HILL:

Sim, e como as emoções são estados mentais e, portanto, sujeitas a seu controle e direção, você vai poder usar as sete emoções positivas (amor, sexo, esperança, fé, entusiasmo, lealdade e desejo) como quiser e vai ser capaz de eliminar ou transmutar as sete emoções negativas (medo, inveja, raiva, vingança, ganância, raiva e superstição). Você vai reconhecer que controle emocional é da maior importância quando notar que a maioria das pessoas permite que as emoções governem sua vida, e que essas emoções governam o mundo, em grande parte.

ALDERFER:

Hábitos são atos automáticos que realizamos diariamente, para o bem ou para o mal. Todos nós somos criaturas de hábito, não somos? Como hábitos se relacionam com autodisciplina?

NAPOLEON HILL:

Autodisciplina é uma questão de adotar hábitos construtivos. O que você realmente é, o que faz, seus fracassos ou sucessos, tudo é resultado de seus hábitos. Não é uma bênção que esses hábitos possam ser criados por nós, e que os mais importantes sejam os hábitos de pensamento? Você exibirá, inevitável e finalmente, em seus feitos a natureza de seus hábitos de pensamentos. Quando tiver adquirido controle sobre seus hábitos de pensamento, você terá percorrido boa parte do caminho em direção ao domínio da autodisciplina. Motivos definidos são o início de hábitos de pensamento. Autodisciplina sem definição de motivo é impossível; além disso, não teria valor nenhum para você. Ninguém jamais realizou nada sem um motivo.

ALDERFER:

Ouvi dizer que emoção sem razão é a maior inimiga do homem. Concorda com isso e poderia explicar aos nossos ouvintes o que significa, exatamente?

NAPOLEON HILL:

Essa é uma afirmação muito interessante, e sei que todos que querem ter sucesso devem usar razão e emoção de maneira equilibrada. Dificilmente há um dia na vida de qualquer um em que não se "sinta" que se deve fazer alguma coisa que a razão diz para não fazer. Razão e emoção precisam de um mestre e encontram esse mestre na faculdade da força de vontade. O ego, agindo por meio da vontade, funciona como um juiz apenas para a pessoa que treinou deliberadamente seu ego para essa função pela autodisciplina. Na ausência dessa autodisciplina, o ego cuida da própria vida e deixa razão e emoção travarem suas batalhas como quiserem, e nesse caso o homem em cuja mente a batalha acontece muitas vezes acaba gravemente ferido.

É por causa desse conflito interno, que acontece sem juiz, que tanta gente tem problemas que não consegue resolver por conta própria e acaba correndo para o psiquiatra. Esse conflito é uma das causas básicas do aumento de neuroses em nossa cultura hoje em dia. Em outras palavras, a necessidade de autodisciplina aumenta à medida que nossa cultura se torna mais complicada em suas demandas sobre a mente humana.

ALDERFER:

Muito interessante. Antes de deixar essa parte de nossa discussão, por favor, explique para nós o fato de não só precisarmos dessa autodisciplina para controlar nossas emoções, mas também precisarmos dela especialmente no caso de vários itens da vida que você acredita que deveriam estar na lista do "controle obrigatório".

NAPOLEON HILL:

Sim, isso mesmo. Há quatro itens que aparecem nessa lista: nosso apetite, seja por comida ou bebida; a atitude mental; o uso do tempo e a definição de objetivo, e cada um deles requer muita autodisciplina.

No caso de comida e bebida, é fato estabelecido que um grande número de pessoas não exerce disciplina suficiente sobre a quantidade e o tipo de alimentos que consome. Depois que certo ponto foi alcançado, no qual a nutrição necessária foi suprida para restaurar tecidos exaustos por nossa atividade física e mental, comida extra só impõe um esforço adicional aos órgãos e acumula um excedente que constrói tecido gorduroso. Gordura de mais, especialmente na meia-idade e depois, tende a reduzir a eficiência e abreviar a vida do indivíduo. Isso também vale para a bebida. É necessário controlar seu desejo por bebidas fortes, ou você abre a porta para desastre e fracasso.

ALDERFER:

Percebo, Sr. Hill, que essa ideia de atitude mental aparece nessa lista de "controle necessário". Parece que a atitude mental do indivíduo em relação a tudo é extremamente importante. Estou certo nessa dedução?

NAPOLEON HILL:

Com certeza está, porque, ao longo da vida toda, uma atitude mental positiva é o único estado de espírito no qual você pode ter definição de objetivo relevante e pelo qual pode induzir mais alguém a cooperar com você e ajudá-lo a realizá-lo. Acho que é muito importante lembrar que o Criador lhe deu o direito de controle sobre uma única coisa nesse mundo, e é sua atitude mental. Você pode usá-la de maneira negativa para atrair todas as coisas que não quer, ou negligenciá-la e deixar o mato invadir o canteiro em sua mente, ou pode pagar o preço de aprender maneiras de mantê-la positiva e atrair as coisas que você quer na vida. Em outras palavras, sua capacidade de se dar bem com os outros, que é uma das características mais importantes na vida de todos nós, é determinada principalmente por sua disposição mental ou sua atitude mental positiva.

ALDERFER:

O terceiro nessa lista de itens necessários é o uso apropriado do tempo. Muitos não percebem que o tempo que usamos e como o usamos são extremamente importantes.

NAPOLEON HILL:

É verdade, Henry. Existe um velho ditado que diz "Perder tempo é um pecado" e é triste, mas verdadeiro. Não posso dizer como você vai usar seu tempo, mas posso apontar que seu tempo é o bem mais precioso que você tem. É como dinheiro no banco, se usado corretamente. E, como dinheiro no banco, ele deve ser gasto com severa autodisciplina. Isso é o mais engraçado, você não pode economizá-lo, a menos que o gaste com sabedoria. Uma pessoa trabalha, em média, oito horas por dia. Precisa de oito horas para dormir, e isso deixa mais oito horas de "tempo livre" para investir como quiser. Ouça bem, Henry, é o jeito como esse tempo livre é investido que faz a diferença entre sucesso e fracasso na vida. Pense nisso e decida criar um gráfico para distribuir suas 24 horas.

ALDERFER:

Já fiz isso, Sr. Hill, e descobri que o orçamento de tempo é importante e nos faz ter consciência de quanto tempo desperdiçamos quando ele não é planejado. E também é muito interessante saber que o quarto item que deve ser controlado, Definição de Objetivo, se encaixa perfeitamente nesse uso do tempo.

NAPOLEON HILL:

Correto, porque, a menos que se tenha um objetivo definido e um meio para alcançá-lo, o problema referente ao que fazer com esse tempo sempre vai existir na cabeça do indivíduo. Autodisciplina em relação a seu objetivo definido, isto é, estabelecer essa tarefa para você mesmo, analisar suas capacidades e escrever suas metas e seus planos, requer bastante pensamento e energia, e é necessário disciplinar suas ideias para conseguir o que você quer na vida. É importante perceber que nem a Inteligência Infinita, toda-poderosa como é, pode ajudá-lo se você não decidir o que quer e para onde vai.

ALDERFER:

Isso é muito, muito interessante, e acho que essa ideia de autodisciplina pode ser esclarecida para os nossos ouvintes com um exemplo ou uma história. Tem algum?

NAPOLEON HILL:

Aqui vai um que ilustra bem esse ponto. Havia um homem que veio para este grande país e começou a vida só com um cesto – só um cesto de 25 centavos – e um punhado de bananas. Ele começou a vendê-las, e, se vendia uma, podia comer outra durante o dia. Se não vendia, não podia comer nenhuma. Aos poucos, ele ganhou o suficiente para comprar um carrinho de mão. No carrinho ele levava laranjas, uvas e peras, além das bananas. Logo ele abriu uma lojinha em uma barraca em algum lugar, perto de um estacionamento. Em seguida, alugou o terreno e construiu um prédio nele. Antes que alguém percebesse, ele comprou o terreno e instalou nele uma loja moderna e muito próspera. E o passo seguinte foi se tornar chefe da maior cadeia de bancos no mundo. Seu nome é A.D. Giannini, fundador do Bank of America. Tudo isso foi possível porque ele teve Definição de Objetivo, Persistência, Fé e Autodisciplina para fazer o que achava conveniente a suas necessidades e seus objetivos. Você e eu começamos em um nível econômico um pouco melhor e temos o benefício dessa filosofia, mas também precisamos pagar o preço cobrado pelo "Sucesso"!

ALDERFER:

Entendo o que quer dizer. Para ser bem-sucedido, é preciso pagar o preço, e não se pode ter nada de graça. Se alguma coisa vem de graça, não é apreciada como quando se trabalhou por ela.

Noto, em sua história de vida, quando estava se dedicando aos vinte anos de pesquisa dos princípios que estamos discutindo, que teve de usar autodisciplina muitas vezes. Pode falar sobre isso?

NAPOLEON HILL:

Houve épocas, em minha vida, quando não tinha um amigo, nem mesmo entre os familiares, exceto minha madrasta, e às vezes me perguntava se ela também não estava fingindo. Houve momentos em que meus oponentes disseram: "Ele fala sobre sucesso e não tem duas moedas no bolso". E o pior era que estavam certos! Foram vinte anos de extrema autodisciplina. Tive que me disciplinar para lidar com a falta de interesse inicial generalizada por essa filosofia em desenvolvimento. Precisei ter autodisciplina suficiente para me sustentar naqueles anos difíceis. Não importa quem você seja; quando começa, se depara com obstáculos que parecem insuperáveis.

Lembro-me bem da primeira aula que dei sobre essa filosofia. Eram seis alunos, e quatro desistiram no primeiro dia! Um deles se recusou a pagar, porque disse que não acreditava ter recebido o que comprara, e, aqui entre nós, acho que ele estava certo. É preciso ter autodisciplina para superar esses momentos difíceis no início. Você tem que disciplinar seus gostos e seu padrão de vida e ajustá-los ao que tem no momento, até ter mais. O melhor jeito de evitar o desânimo diante de uma adversidade é não fazer confidências a ninguém, exceto a quem tem simpatia verdadeira por sua causa e compreende suas possibilidades. Caso contrário, guarde seus planos para si e deixe suas atitudes falarem. Adote o lema: "Atitudes, não palavras". É um bom lema para todos nós.

ALDERFER:

Sei que você foi proprietário e administrador da primeira autoescola nos Estados Unidos e treinou pessoalmente homens e mulheres para dirigir, e, nesse negócio de ensinar pessoas a dirigir, organizou três grandes regras, todas demandando autodisciplina. Sr. Hill, com o alto risco do trânsito e os acidentes, numerosos como são, e com pessoas sendo mortas ou aleijadas quase a cada hora do dia, você apresentaria aos seus ouvintes suas três regras para dirigir um carro?

NAPOLEON HILL:

Com prazer, porque tenho certeza de que, se os motoristas seguissem essas três regras, o número de mortes e acidentes seria reduzido drasticamente. Aqui vão elas.

Primeiro, nunca, em nenhuma circunstância, dirijo em velocidade superior àquela que me permite controlar as circunstâncias dentro do meu campo de visão – à direita, à esquerda, atrás de mim e na minha frente. Mantenho-me atento a esses quatro sentidos o tempo todo, e, não importa o que outro motorista faça, consigo manter meu carro sob controle e seguro. Se acha que autodisciplina não é necessária para isso, vá dirigir em uma boa extensão de estrada onde não se vê nada em quilômetros e perceba como é difícil controlar o pé no acelerador.

Segundo, nunca, em nenhuma circunstância, fico com raiva de outro motorista ou me envolvo em uma discussão, mesmo que, na minha cabeça, o que ele fez seja errado. Vou lhe dizer por que exijo isso de mim. No minuto em que você fica com raiva, não tem controle do seu carro e não tem que estar na estrada, porque um carro fora de controle é uma arma letal. A maioria das pessoas que se envolvem em acidentes estão preocupadas, com medo ou com raiva, e não têm uma atitude positiva. Qualquer um que dirija sem uma atitude positiva está em perigo. Não enxerga as quatro direções. Tem sorte se permanecer atento a uma delas. É preciso ter autodisciplina para não discutir com o outro motorista.

Terceiro, nunca, em nenhuma circunstância, assumo um risco evitável quando estou dirigindo. Por risco me refiro ao perigo a que você se expõe quando tenta passar em um semáforo amarelo ou fazer uma curva sem conseguir enxergar o que tem depois dela. É perigoso correr qualquer risco para economizar dois ou três segundos. Em outras palavras, concordo com o sujeito que disse que prefere chegar cinco minutos atrasado aqui a chegar vinte anos adiantado "lá".

ALDERFER:

Maravilhoso! Essas regras são simples, mas me arrisco a dizer que todos os acidentes hoje são causados pela violação de uma delas ou mais. É verdade, o outro motorista não controla a situação, você controla, e, se começa a usar sua autodisciplina, ajuda a tornar nossas estradas mais seguras.

Acho que isso leva diretamente à autodisciplina no relacionamento com os outros, e você tem uma história que ilustra isso muito bem. Pode contá-la aos nossos ouvintes?

NAPOLEON HILL:

Com prazer. Nos meus dias de juventude, eu não só andava de cara feia, como também fazia questão de parecer provocador. E alguém sempre aceitava a provocação! Conforme adquiri autodisciplina, deixei de procurar encrenca. Ajudou um pouco, mas não muito. Descobri que tinha que melhorar minha cara, e isso me ajudou um pouco mais. Finalmente, eu disse a mim mesmo: "Não vou mais andar por aí de cara feia". Parei de esperar as pessoas apontarem meus defeitos, e veja só, o mundo à minha volta começou a mudar de desarmônico para harmônico e cooperativo. Mudei o mundo em que vivia simplesmente mudando minha atitude mental.

Houve um tempo em que eu não gostava de pessoas que usavam roupas gritantes, chamativas. Sabe como superei isso? Comecei a usá-las para ver como me sentiria. Em outras palavras, adotando o ponto de vista do outro, descobri que, nas mesmas circunstâncias, minha reação era muito parecida com a deles. Quando você tem esse estado mental positivo e para de antipatizar com as pessoas só porque elas são diferentes de você, descobre que o mundo em que vive é muito mais amigável. Se quer que as pessoas entendam seu ponto de vista ou cooperem com você, faça sua parte primeiro adotando a disposição mental certa para atraí-las. Vai se surpreender com a rapidez com que elas vão mudar de atitude em relação a você. Essa questão da autodisciplina pode servir a muitos propósitos.

ALDERFER:

Autodisciplina é o procedimento pelo qual se coordena a mente ou, mais especificamente, os seis departamentos da mente que você identificou em seus livros, de forma que nenhum escape ao controle. Quais são esses seis departamentos da mente submetidos ao controle pelo indivíduo?

NAPOLEON HILL:

As seis divisões ou departamentos da mente submetidos ao controle do indivíduo são: 1) o Ego – é o local da força de vontade e age como uma Suprema Corte, com o poder para reverter, modificar, mudar ou eliminar completamente todo o trabalho de todos os outros departamentos da mente. 2) A Faculdade das Emoções – aqui é gerada a força motriz que põe em ação pensamentos, planos e propósitos. 3) A Faculdade da Razão – é onde se pode pesar, estimar e avaliar adequadamente os produtos da imaginação e das emoções. 4) A Faculdade da Imaginação – é onde se pode criar ideias, planos e métodos para alcançar os fins desejados. 5) A Consciência – é onde se pode testar o valor moral de pensamentos, planos e objetivos. 6) A Memória – serve como guardiã dos registros de todas as experiências e como arquivo de todas as percepções sensoriais e da inspiração da Inteligência Infinita. Quando esses departamentos da mente são coordenados e adequadamente guiados por autodisciplina, capacitam a pessoa a seguir seu caminho na vida com um mínimo de oposição.

ALDERFER:

Entendo que o ego, que é o local da força de vontade, precisa permanecer forte. Como mantê-lo assim? Pode nos dizer?

NAPOLEON HILL:

Sim, vou explicar em relação a mim mesmo, mas todos podem fazer a mesma coisa com seu ego. Vou descrever os três muros imaginários de defesa exterior que mantenho em torno do ego que conheço como Napoleon Hill. A começar pelo mais externo, em direção ao interior, o primeiro muro tem altura suficiente para manter longe de mim pessoas que realmente não devem se aproximar para ocupar meu tempo. Esse muro externo tem várias portas, e não é difícil passar por uma delas. Se uma pessoa puder justificar seu direito ao meu tempo, abro uma das portas e a deixo passar, mas ela tem que estabelecer esse direito.

O muro seguinte é muito mais alto e só tem uma porta, que observo com muita atenção. O número de pessoas que passam por essa porta é relativamente menor. Antes que a porta se abra para admitir alguém, a pessoa precisa demonstrar que tem algo que eu quero, ou que temos algo em comum que vai ser mutuamente útil.

O terceiro e último muro é tão alto que nenhuma pessoa no mundo, exceto meu Criador, já o escalou, e não há portas nele. Nem mesmo minha esposa foi admitida além desse muro, porque ele cerca e protege o ego de Napoleon Hill. Saiba que, se você vai abrir a porta de seu ego e sua personalidade e deixar entrar e sair quem quiser, essas pessoas vão levar muitas coisas que você não quer que tenham. Aconselho a construção de um muro de proteção em torno de sua mente. Tenha um lugar para onde possa se retirar, onde possa entrar em comunhão com a Inteligência Infinita.

ALDERFER:

Na sua explicação de ego, você nos deu a origem da força de vontade, que controla o raciocínio. Mas a razão não é o único fato sobre o qual devemos exercer controle. E as emoções? O que fazemos com elas?

NAPOLEON HILL:

Essa chamada segunda divisão da mente, a faculdade das emoções, é muito importante por causa da necessidade de equilibrar as emoções ou os sentimentos com a faculdade da razão, para criar uma solução possível satisfatória. E há outro aspecto das emoções que eu gostaria de considerar, porque diz respeito a problemas que surgem na mente relacionados a decepções, fracassos e corações partidos decorrentes da perda de coisas materiais, amigos ou amores. Autodisciplina é a única solução real para esses problemas.

Disciplina começa com o reconhecimento do fato de que só existem dois tipos de problemas: os que se pode resolver e os que não se pode resolver. Os problemas que você pode resolver devem ser imediatamente solucionados pelos meios mais práticos à disposição, e os que não têm solução devem ser tirados da cabeça e esquecidos. Autodisciplina, que significa o domínio sobre todas as emoções, pode fechar a porta entre você e todas as experiências desagradáveis do passado. É preciso fechar essa porta e trancá-la, de forma que não exista possibilidade de abri-la novamente. Quem não tem autodisciplina muitas vezes fica na porta e olha para trás com melancolia, em vez de fechar a porta e olhar para a frente, para o futuro. Não pode haver concessão nessa história de fechar a porta. É preciso colocar a força de sua vontade contra a porta que deixa do lado de fora as coisas que você quer esquecer, e isso requer autodisciplina.

ALDERFER:

Agora começo a entender o que você quer dizer. Autodisciplina fecha a porta contra todas as formas de medo e a abre para esperança e fé. Ela fecha a porta contra a inveja e abre uma nova porta para o amor. Autodisciplina olha para a frente, não para trás. Bloqueia o desânimo e a preocupação; encoraja as emoções positivas e mantém do lado de fora as emoções negativas. Ela é desenvolvida com o propósito de fortalecer sua mente; permite que você se apodere da própria mente e controle sua atitude mental. Você não pode ter autodisciplina de verdade até que consiga organizar a mente e mantê-la livre de influências perturbadoras. Esse é um bom resumo?

NAPOLEON HILL:

É, sim. Antes de encerrarmos por hoje, gostaria de dar aos nossos ouvintes meu credo para autodisciplina, que é assim: "Ego, o local da força de vontade: reconhecendo que Força de Vontade é o Tribunal Supremo sobre todos os departamentos de minha mente, vou exercitá-lo diariamente para estar preparado quando precisar de um impulso para agir por qualquer propósito; e vou formar hábitos designados para pôr em ação minha força de vontade ao menos uma vez por dia. Emoções: percebendo que minhas emoções são positivas e negativas, vou formar hábitos diários que encorajem o desenvolvimento das emoções positivas e me ajudem a transformar as emoções negativas em alguma forma útil de ação. Razão: reconhecendo que tanto as emoções positivas quanto as negativas podem ser perigosas se não forem controladas e direcionadas para fins desejáveis, serei guiado por minha razão ao expressá-las. Imaginação: reconhecendo a necessidade de bons planos e ideias para alcançar meus objetivos, vou desenvolver minha imaginação invocando-a todos os dias para ajudar na formação de meus planos. Consciência: reconhecendo que minhas emoções sempre tendem ao entusiasmo excessivo, e minha faculdade da razão muitas vezes não tem o calor do sentimento que é necessário para me permitir combinar justiça e misericórdia em meus julgamentos, vou incentivar minha consciência a me guiar para o que é certo e o que é errado, e nunca deixarei de lado os veredictos que ela der, seja qual for o custo de aplicá-los. Memória: reconhecendo o valor de uma memória alerta, vou incentivar a minha a tornar-se alerta tomando o cuidado de transmitir a ela claramente todos os pensamentos que desejar lembrar, e associando esses pensamentos com assuntos relacionados que posso trazer à mente com frequência. Mente subconsciente: reconhecendo a influência da mente subconsciente sobre a força de vontade, vou tomar o cuidado de submeter a ela uma imagem clara e definida do meu objetivo na vida e todos os propósitos menores que levam a ele e vou manter essa imagem constantemente diante de minha mente subconsciente repetindo-a todos os dias".

ALDERFER:
As ideias que trouxe são muito poderosas, e uma das faculdades que mais me intrigam é a da consciência. Pode nos falar um pouco mais sobre ela?

NAPOLEON HILL:
A consciência é a faculdade que governa a qualidade moral de seus atos e motivos. Se sua consciência é sempre consultada e o conselho é sempre obedecido, ela é uma ajuda valiosa. Se é negligenciada ou ignorada e ofendida pela negligência com seu conselho, ela se

torna uma ofensora e conspiradora. Quando isso acontece, é hora de ficar atento, porque a sociedade teve que construir muitas salas especiais para pessoas que deixaram isso acontecer, e a visão a partir dessas salas é sempre obstruída por grades.

Um homem pode negar sua consciência momentaneamente, mas vai chegar o dia em que essa consciência que foi negada ou silenciada se voltará contra ele em fúria e tormento em todas as áreas da vida, inclusive durante o sono, à noite. Não há nada que desperte o medo tão rapidamente quanto a culpa escondida. E se o indivíduo examina a própria consciência, ela traz à superfície aqueles defeitos escondidos e os meios para descobrir as coisas que estão destruindo e sufocando sua paz de espírito. Toda pessoa tem um cantinho da alma que não quer que ninguém veja. A frase "Deixe sua consciência ser seu guia" é de grande importância, porque, se a razão diz sim e a consciência diz não, siga sua consciência.

ALDERFER:

Obrigado, Napoleon Hill, pela excelente descrição de nossa consciência e como ela afeta nossa vida, além de sua explicação de como aprendemos a nos controlar usando autodisciplina. Sei que nossos ouvintes foram muito auxiliados por essa discussão.

Juntem-se a nós no próximo domingo à tarde, caros ouvintes, quando Napoleon Hill discutirá a importância de uma Atitude Mental Positiva para alcançar seu objetivo na vida.

SABEDORIA PARA VIVER

1. É de importância crítica entender que a única coisa sobre a qual você tem controle completo é sua atitude mental.
2. O desejo por liberdade de mente e corpo e o desejo por riqueza são universais, mas poucos os realizam, porque não reconhecem que a verdadeira origem de ambos está na própria mente.
3. Ponha deliberadamente em sua cabeça o tipo de pensamento que deseja ter nela e mantenha fora da mente pensamentos que não quer ter, e vai se tornar uma pessoa com autocontrole.
4. Por meio de autodisciplina você pode se pensar dentro ou fora de qualquer circunstância de vida. Autodisciplina o ajudará a controlar sua atitude mental. Sua atitude mental o ajudará a dominar todas as circunstâncias da vida e transformar cada adversidade, cada derrota e cada fracasso em um bem de valor equivalente.
5. Autocontrole é controle mental. Controle mental é o resultado de autodisciplina e hábito. Ou você controla sua mente, ou ela controla você. Não existe meio-termo.
6. O método mais prático para controlar a mente é o hábito de mantê-la ocupada com um objetivo definido apoiado por um plano definido.
7. A principal função da autodisciplina é manter o equilíbrio adequado entre o julgamento da mente e os sentimentos do coração.
8. Hill diz: "Deixe que sua consciência seja seu guia". Se a razão diz sim e a consciência diz não, siga a consciência.

ADVERSIDADE E VANTAGEM

Nossos medos, nossas limitações, superstições e nosso estado mental negativo trazem fracasso e adversidade. Como aprendemos, quando começamos a buscar uma semente de benefício igual ou melhor em qualquer adversidade, também desenvolvemos autodisciplina, que abre portas para esperança, fé, amor, emoções positivas, boa saúde, noção de propósito, hábitos construtivos e muito mais. Sem adversidade, nunca conheceríamos ou descobriríamos essas características.

CAPÍTULO 9

ATITUDE MENTAL POSITIVA

(UMA BÊNÇÃO DA MAIS ALTA ORDEM)

Nenhum pessimista jamais descobriu o segredo das estrelas, ou navegou para uma terra desconhecida, ou abriu uma nova porta para o espírito humano.

– *Helen Keller*

VISÃO GERAL

O propósito deste capítulo é apresentar o conceito de que uma atitude mental positiva é fundamental para obter desfechos positivos e, consequentemente, necessária para alcançar o sucesso.

Hill vai revelar:

- Um estado mental que traz riqueza, paz de espírito e boa saúde. Esse estado mental ajuda a imunizar o indivíduo contra todos os medos e as limitações autoimpostas.
- Uma única causa na natureza humana que destruiu mais pessoas que qualquer outra causa.
- Um jeito de interromper hábitos indesejáveis.
- A fonte para se conectar com a Inteligência Infinita.

Você pode treinar-se para ter uma atitude mental positiva usando a lição neste capítulo. Essa habilidade crítica de pensar habitualmente de maneira positiva vai render benefícios que o levarão adiante em sua jornada rumo a uma vida de sucesso.

PROGRAMA 9. UMA ATITUDE MENTAL POSITIVA

ANUNCIANTE:

Boa tarde, senhoras e senhores. A *Radio School of Success Unlimited* está no ar. A lição de hoje na Ciência do Sucesso será dada por Napoleon Hill. Sua *Radio School of Success Unlimited* pode ser uma grande ajuda – se você quiser e permitir. Agora, Napoleon Hill e seu assistente, Henry Alderfer.

ALDERFER:

Obrigado. Hoje vamos apresentar o princípio do sucesso que chamaremos de "Atitude Mental Positiva". Com uma atitude mental positiva, podemos pôr a mente para trabalhar acreditando no sucesso como nosso direito, e nossa crença nos guiará diretamente para o objetivo que desejamos alcançar, seja ele qual for. Vamos discutir o significado de uma atitude mental positiva, e aqui está Napoleon Hill para nos contar tudo sobre isso e relacionar os benefícios que você vai ter quando aprender a dominar esse princípio. Napoleon Hill.

NAPOLEON HILL:

Boa tarde, meus amigos. Sim, Henry, esse princípio de uma Atitude Mental Positiva é tão rico em importância que pode afetar toda a nossa vida, por isso vamos analisá-lo com atenção.

ALDERFER:

Entendo que, quando nascemos, cada um de nós traz o equivalente a dois envelopes fechados; em um deles há uma lista de riquezas de que podemos desfrutar se nos apoderarmos de nossa mente e a usarmos para alcançar o que desejamos na vida, e no outro, uma lista de penalidades que a natureza vai aplicar se deixarmos de reconhecer e usar o poder da mente.

NAPOLEON HILL:

Isso mesmo, e vamos abrir esses dois envelopes e apresentar a vocês o conteúdo deles. Mas mais importante que isso, sugiro que descubram por vocês mesmos que esses envelopes selados não são imaginários, mas reais, e que podem ser o meio para colocá-los no caminho do sucesso rumo à vitória e ao destino de sua escolha. Mas quero preveni-los de que não entenderão o pleno significado desse princípio a menos que estejam prontos para recebê-lo e usá-lo.

Tem uma coisa que a natureza desestimula e penaliza: o vácuo, isto é, vazio e ócio, falta de atividade. Deixe de usar ativamente qualquer músculo de seu corpo, e ele vai atrofiar e se tornar inútil. A mesma coisa acontece com sua mente. Se você não a usa para fins construtivos, as sementes do fracasso vão brotar e dominar tudo.

ALDERFER:

Entendo o que quer dizer. Ou você usa o cérebro para o pensamento controlado em relação àquilo que quer, ou a natureza interfere e o utiliza para plantar uma safra abundante de circunstâncias negativas que você não quer. E você tem escolha nisso; pode se apoderar de seu poder de pensamento, ou deixar que ele seja influenciado por todos os ventos do acaso e as circunstâncias que não deseja. Você pode fazer a mente focar o pensamento positivo, ou deixar que ela siga à deriva para o pensamento negativo, mas não pode ficar sem fazer nada e assim se livrar da influência desses dois envelopes fechados.

NAPOLEON HILL:

Correto. Lembre-se: o que você tem, seja o que for, você usa ou perde. Ou aceita o envelope fechado que contém as "riquezas" e segue suas instruções, ou é forçado a sofrer as penalidades contidas no outro envelope. Dessa verdade deriva o ditado "Sucesso atrai mais sucesso, fracasso atrai mais fracasso", uma verdade que observamos muitas vezes, embora poucos tenham analisado a causa por trás dela. A natureza permite que você fixe a mente em qualquer coisa que desejar e crie seu plano para alcançar esse desejo.

ALDERFER:

Agora está ficando muito claro para mim, e entendo por que sucesso atrai mais sucesso depois que você se coloca no caminho dele, e também está igualmente claro por que fracasso atrai mais fracasso se você não se apodera de sua mente e a põe para trabalhar. Agora vamos analisar o conteúdo desses dois envelopes fechados. Pode abrir o das "riquezas" ou "recompensas" e dizer que bênçãos ele traz?

NAPOLEON HILL:

Muito bem. Sabe, Henry, se você adota uma atitude mental positiva, isto é, se pensa positivamente, receberá as seguintes bênçãos: primeiro, vai ter o privilégio de se colocar no caminho do sucesso, que só atrai as circunstâncias que compõem o sucesso; segundo, vai ter boa saúde física e mental; terceiro, vai se tornar financeiramente independente; quarto, vai se dedicar a um trabalho de amor pelo qual pode se expressar plenamente; quinto, vai ter paz de espírito; sexto, vai ter fé, que torna o medo impossível; sétimo, vai ter amizades duradouras; oitavo, vai viver uma vida longa e equilibrada; nono, vai estar imune contra todos os medos e autolimitações; e décimo, vai ter sabedoria para entender a si mesmo e aos outros.

ALDERFER:

É muito encorajador perceber que essas bênçãos maravilhosas estão disponíveis para nós se decidirmos aceitá-las. O outro envelope, o das "penalidades", tem vários ingredientes. Quais são eles?

NAPOLEON HILL:

Essa lista particular é só o oposto das bênçãos que se poderia receber. Primeiro, suas atitudes vão atrair apenas pobreza e sofrimento durante toda a vida; segundo, você terá doenças físicas e mentais de muitos tipos; terceiro, nunca terá independência financeira e sempre buscará ajuda de terceiros, ou simplesmente andará à deriva; quarto, não vai gostar de trabalhos de pouca importância com os quais ganhará o pouco que estará disponível para você; quinto, vai experimentar todo tipo de preocupação conhecido pela humanidade; sexto, não vai ter fé em ninguém e em nada, e vai sofrer medos implacáveis; sétimo, vai ter muitos inimigos e poucos amigos, se tiver algum; oitavo, sua vida vai ser acometida de preocupação e abreviada; nono, sua vida vai ser dominada por dúvidas e falta de autoconfiança; e décimo, você não vai ter a compreensão sobre o porquê de sua vida ter sido desperdiçada.

ALDERFER:

Então, esse é o catálogo de nossas riquezas e penalidades, e imagino que seja preciso escolher um deles, ou aceitar o outro à força. Não há meio-termo, não existe possibilidade de acordo. Você está sob julgamento como um cidadão da vida e é o juiz e o júri, o advogado de defesa e o promotor, e o veredito final é o que acontece com você durante toda a vida por causa de sua atitude mental.

Você descreveu essas riquezas e penalidades. Pode nos dizer agora quanto uma atitude mental positiva é importante para obter essas riquezas?

NAPOLEON HILL:

Há um grande número de benefícios a serem colhidos de uma atitude mental positiva, mas o tempo não nos permite citar todos eles, então vamos limitar a discussão aos mais importantes. Uma atitude mental positiva é o primeiro e o mais importante passo que devemos dar para assumir o controle e a direção da mente, já que todos os graus de uma atitude mental negativa nos deixam abertos a toda influência adversa com que possamos entrar em contato. Essa é a única condição da mente com que podemos nos dar completa proteção contra todos os medos e as fontes de preocupação. É a única condição da mente em que podemos expressar Fé Aplicada e recorrer às forças da Inteligência Infinita à vontade e, portanto, é a base sobre a qual todas as orações devem ser feitas. É a única condição da mente na qual podemos encontrar e reconhecer nosso Outro Eu – aquele eu que não tem autolimitações e sempre permanece em nosso poder se o dirigirmos para os fins desejados. E é a única condição da mente que nos permite emitir nossa nota na vida e fazê-la pagar em dividendos de nossa escolha.

ALDERFER:

Então, tomando por base todas essas afirmações, uma atitude mental positiva é a única condição da mente em que podemos ter a sabedoria com que reconhecer o verdadeiro propósito da vida e nos adaptar a esse propósito. Em outras palavras, uma atitude mental positiva é indispensável para todos que querem fazer a vida recompensá-los de acordo com seus termos.

Você nos disse quanto uma atitude mental positiva é importante; isto é, explicou por quê. Agora nos diga como, por favor; isto é, que passos podemos dar para desenvolver uma atitude mental positiva.

NAPOLEON HILL:

É sempre importante, quando você fala sobre uma coisa, especialmente se diz quanto ela é importante, oferecer maneiras de desenvolvê-la, e aqui vão alguns jeitos de produzir essa disposição mental. Primeiro, você pode reconhecer seu privilégio de tomar posse da própria mente, única coisa sobre a qual tem controle completo. Essa percepção é um passo necessário antes de poder beneficiar-se com qualquer um dos próximos. Você pode então reconhecer e provar a contento o fato de que toda adversidade, todo fracasso, toda derrota, todo sofrimento, toda circunstância desagradável criada ou não por você carrega a semente de uma vantagem equivalente que pode ser transmutada ou modificada em uma bênção de grandes proporções.

ALDERFER:

Entendo também que será necessário aprendermos a fechar a porta para todos os fracassos e as circunstâncias desagradáveis que experimentamos no passado, abrindo caminho, dessa maneira, para o estado mental chamado de atitude mental positiva. Também noto que você pode encontrar o que mais deseja na vida e começar a conquistar esse desejo onde está agora, ajudando tantos outros quanto puder a alcançar benefícios semelhantes, pondo em ação aquele princípio do sucesso mágico, o hábito de Fazer o Esforço Extra.

NAPOLEON HILL:

Isso é correto, Henry, e você pode determinar quanta riqueza material deseja ter. Crie um plano para adquiri-la e depois ponha um tampão em suas emoções, para ser registrado pela adoção do princípio do nem tanto nem tão pouco, e use-o para guiar suas ambições futuras por coisas materiais. Ganância por uma superabundância de coisas materiais destruiu mais pessoas do que qualquer outra causa. E você pode formar o hábito de dizer ou fazer alguma coisa, todos os dias, que faça outras pessoas se sentirem melhor, mesmo que não seja mais que dar um telefonema ou mandar um cartão-postal.

ALDERFER:

Esses exemplos que está dando são de como se apropriar de sua mente para que ela expresse uma atitude mental positiva automaticamente o tempo todo.

Você que nos ouve pode fazer isso descobrindo o que mais gosta de fazer. Encontre um trabalho de amor e dedique-se a ele com todo o coração e toda a alma, mesmo que seja só um *hobby*. E você vai aprender que, quando se depara com um problema pessoal cuja solução você tentou encontrar sem sucesso, se olhar em volta e perceber alguém com um problema semelhante ou até maior e ajudar essa pessoa a chegar a uma solução, quando a dela for encontrada, a sua também se revelará a você.

NAPOLEON HILL:

Você também pode fazer um inventário completo de outros bens que possui, sem incluir riquezas materiais, e descobrir que o maior deles é uma mente forte com a qual pode dar forma ao seu destino pelo processo simples de apoderar-se completamente dela e dirigi-la para os fins de sua escolha. Você vai reconhecer que o espaço que ocupa neste mundo corresponde exatamente à qualidade e à quantidade do serviço que presta em benefício dos outros, mais a atitude mental com que o presta.

ALDERFER:
Também entendo que, com uma atitude mental positiva, se você tem hábitos questionáveis que deseja eliminar, pode mostrar a si mesmo quem é o chefe afastando-se desses hábitos pelo período de um mês. E pode lembrar sempre que ninguém pode ferir seus sentimentos, deixá-lo com raiva ou com medo sem sua total cooperação e seu consentimento.

NAPOLEON HILL:
E você pode usar a própria mente para dar forma ao seu destino e ajustá-lo a quaisquer objetivos de vida que escolha e, assim, dispor de todas as riquezas que lhe são devidas, e pode manter a mente tão ocupada com coisas que gosta de fazer que não vai sobrar tempo para se desviar e ir atrás de coisas que não quer ou não gosta de fazer. E você pode sintonizar a mente para atrair as coisas e circunstâncias que deseja expressando em uma prece diária seu sentimento de gratidão por ter recebido as bênçãos que deseja.

ALDERFER:
Uma boa maneira de manter uma atitude mental positiva é ter um diário de suas boas ações e nunca deixar o Sol se pôr sem executar e registrar algum ato de bondade humana. Os benefícios desse hábito serão cumulativos e, com o tempo, lhe darão um lugar de destaque no coração de seus semelhantes. E vamos lembrar que uma boa ação por dia mantém afastada a depressão do idoso.

NAPOLEON HILL:

Ainda estamos discutindo meios e maneiras de condicionar a mente para tornar-se e permanecer positiva, mas deve ser óbvio que esse processo de condicionamento tem muitos métodos de abordagem que não deixam espaço para desculpas para não estabelecer uma atitude mental positiva. Você vai perceber que as etapas que relacionamos levarão a uma atitude mental positiva e darão tudo de que você precisa para ajudá-lo a adquirir esse bem tão desejável. Você pode reconhecer que não existe problema pessoal sem solução. Há soluções adequadas para todos os problemas, embora as melhores soluções para o seu problema talvez não sejam aquelas que você escolheu ou preferia.

Pense nos problemas de Thomas Edison por ter frequentado a escola durante apenas três meses; ou Helen Keller, que não tinha os sentidos da visão e da audição; ou Milo C. Jones, com sua paralisia dupla, que o privou do uso do corpo, mas o fez perceber que podia usar a mente para criar as "pequenas linguiças de porco"; ou Henry Ford, com sua escolaridade limitada e o descaso dos parentes e vizinhos que o consideravam mentalmente desequilibrado, porque seu principal objetivo era mudar o estilo de vida americano e criar o vasto império Ford como o conhecemos hoje. Há muitos outros indivíduos que poderiam ser mencionados por terem uma atitude mental positiva, apesar de grandes obstáculos, mas o tempo não permite.

ALDERFER:

Uma atitude mental positiva é necessária para que as pessoas descubram a diferença entre desejar, acreditar e agir pela realização de seus desejos. Você disse que há seis passos nessa conquista do poder mental que a maioria das pessoas precisa reconhecer. Pode dizer aos ouvintes quais são eles?

NAPOLEON HILL:

É claro. Muitas pessoas nunca descobrem a diferença entre querer e acreditar, e elas são a maior parte da população. Primeiro, a grande maioria das pessoas, cerca de 70%, passa pela vida simplesmente querendo coisas. Segundo, uma porcentagem muito menor, por volta de 10%, transforma esse querer em desejo. Terceiro, uma porcentagem ainda menor, 8%, desenvolve seus quereres e desejos em esperanças, e uma porcentagem ainda menor, 6%, eleva seu poder mental até onde seus quereres, desejos e esperanças se tornam crenças; e uma porcentagem ainda menor, 4% das pessoas, cristaliza seus quereres, desejos e esperanças em crença, depois em desejo ardente e, finalmente, fé. E por fim, a menor porcentagem, 2%, dá os últimos dois passos críticos colocando sua fé em ação com planejamento e ação. Esses são os construtores da civilização!

ALDERFER:

Em outras palavras, a última classe, o grupo dos 2%, representa os grandes sucessos em todas as áreas. Eles são os Andrew Carnegies, Henry Fords, Thomas Edisons, Alexanders Graham Bells, Rockefellers, os líderes em todas as áreas da vida. Eles são os que reconhecem o poder da própria mente, se apoderam dele e o direcionam para os fins que escolherem. Para essas pessoas, a palavra “impossível” não significa nada. Para elas, tudo que querem ou de que precisam é possível, e conseguem ter. Esses são os construtores de impérios, os que fazem avançar a civilização e os líderes em todas as áreas em todas as nações da Terra. E a única característica que os distingue de muitos outros, que aceitam fracasso, é o fato de reconhecerem e usarem o poder da mente para alcançar as circunstâncias que querem.

Você falou sobre os diferentes grupos de pessoas e a porcentagem dos que integram o último grupo. Como se pode entrar nessa classe dos 2% de pessoas bem-sucedidas?

NAPOLEON HILL:

Isso é muito importante, Henry, e tenho duas sugestões de importância vital para quem deseja sinceramente alcançar as coisas que quer da vida. Primeiro, é preciso se ajustar aos estados mentais de outras pessoas e suas peculiaridades, de forma a manter um relacionamento pacífico com elas. Atenha-se a notar as circunstâncias triviais de seu relacionamento e não permita que elas se tornem incidentes controversos.

Segundo, estabeleça sua técnica para condicionar a mente no início de cada dia, de forma a poder manter uma atitude mental positiva ao longo do dia.

ALDERFER:

Sei que o hábito de adotar uma boa risada é um bom meio de transformar a raiva em uma emoção inofensiva e é eficiente para mudar a mente de negativa para positiva.

NAPOLEON HILL:

É verdade, e mestres em vendas seguem esse hábito diariamente como um meio de condicionar a mente com uma atitude mental positiva, que é tão essencial para o trabalho de vender. Você também precisa concentrar a mente na porção "posso fazer" de todas as tarefas que assume e não se preocupar com a porção "não posso fazer", a menos e até que se depare com ela. Aprenda a olhar a vida como um processo contínuo de aprendizado pela experiência, tanto boas quanto ruins, e esteja sempre alerta para a sabedoria que vem aos poucos, dia a dia, por experiências agradáveis e desagradáveis.

Tome cuidado com seus contatos próximos, porque a atitude mental negativa de outras pessoas é muito contagiosa e transmitida pouco a pouco. Lembre-se também de que você tem uma personalidade dupla: uma positiva e com grande capacidade para a fé, e outra negativa e com uma capacidade igualmente grande para a descrença. Coloque-se do lado da personalidade que acredita, e a outra personalidade vai desaparecer por falta de exercício.

ALDERFER:

Também devemos lembrar que a prece traz os melhores resultados quando quem está rezando tem fé suficiente para se ver já de posse daquilo que pede em oração. Essa é uma atitude mental positiva da mais alta ordem, e paz de espírito só pode ser alcançada com uma atitude mental positiva.

NAPOLEON HILL:

Isso é correto, e paz de espírito é considerada por muitos como a mais alta bênção concedida pela vida. Aqui vão alguns pontos positivos que acompanham a paz de espírito. Primeiro, ela confere domínio completo sobre todas as formas de preocupação; é liberdade do medo em todas as suas formas; é uma saída para sentimentos de inadequação; é o hábito de pensar por conta própria sobre todos os assuntos; é o hábito de ajudar os outros a se ajudarem; é o reconhecimento da verdade de que o poder universal da Inteligência Infinita está disponível a todos que aprenderem a se apropriar dele e usá-lo; é a alegria de obter felicidade do fazer, não do ter; e é o privilégio de se dedicar a um trabalho de amor escolhido pelo indivíduo.

ALDERFER:

Entendo que uma atitude mental positiva é de valor inestimável para homens e mulheres em organizações de vendas, estejam eles envolvidos na venda ou na direção das ações de agentes de vendas. A atitude com que se dedicam a isso é o meio pelo qual podem aumentar muito sua produção.

NAPOLEON HILL:

Isso mesmo, e devemos lembrar também que toda melhoria que inspiramos na atitude mental dos outros deve começar pela melhoria em nossa atitude mental; isso causa o efeito da atração dos semelhantes. Lembre-se ainda de que toda venda é feita primeiro ao próprio vendedor pelo completo condicionamento de sua mente, de forma que ela se torne positiva e, assim, ele acredite naquilo que está tentando vender.

Em toda venda há dois fatores da maior importância: primeiro, analisar completamente a pessoa ou as pessoas que podem fazer a compra, para ter certeza de que o bem ou serviço oferecido é adequado às necessidades do comprador ou dos compradores; e segundo, plantar de maneira sensata no comprador ou nos compradores um motivo apropriado para inspirar a compra. Durante a transação, a coisa mais importante que o vendedor tem a fazer é manter a mente positiva e usar o tipo de linguagem que transmita seu estado mental ao comprador em potencial.

ALDERFER:

Entendo que existe uma relação próxima entre técnica de vendas e oração; e que todas as orações feitas quando se está em estado de medo ou dúvida resultarão apenas em resultados negativos; e que só as orações feitas com perfeita fé e crença em sua realização trarão resultados positivos. Perceba o que acontece quando você acredita naquilo que está tentando vender a outra pessoa, quando sabe que atende às necessidades dela e quando está determinado a manter contato com o comprador até ele aceitar sua crença e agir de acordo com ela.

NAPOLEON HILL:

Isso nos leva a um assunto que não pode ser omitido deste princípio de uma atitude mental positiva, porque deixa claro o meio pelo qual a mente se comunica tanto com seu estado negativo quanto com o positivo. É a seção subconsciente da mente. Um lado de sua faculdade subconsciente se conecta com a mente consciente, e o lado oposto, com a Inteligência Infinita.

Andrew Carnegie disse: "Estude qualquer pessoa conhecida como bem-sucedida e vai descobrir que ela tem um objetivo principal definido; tem um plano para alcançar seu objetivo; e dedica a maior porção de seus pensamentos a alcançar esse objetivo. Meu objetivo", ele disse, "é produzir e comercializar aço. Concebi esse objetivo quando trabalhava como empregado. Isso se tornou uma obsessão para mim. Levava essa ideia para a cama à noite e ao trabalho comigo pela manhã. Meu objetivo definido tornou-se mais que um simples desejo; tornou-se meu desejo ardente, e esse é o único tipo de objetivo definido que parece trazer resultados". Com essas palavras, o Sr. Carnegie resume como usou a mente subconsciente, o meio pelo qual traduziu seu desejo ardente em um imenso império industrial.

Todas as riquezas e todas as coisas materiais que alguém adquire por esforço próprio começam na forma de uma imagem mental clara e concisa da coisa buscada. Quando essa imagem cresce ou é impulsionada às proporções de uma obsessão, ela é capturada pela mente subconsciente por alguma lei oculta da natureza que nem o mais sábio dos homens entende por completo. Desse ponto em diante, o indivíduo é levado, atraído ou guiado na direção do equivalente físico da imagem mental por causa de uma atitude mental positiva.

ALDERFER:

Obrigado, Napoleon Hill, por uma ótima discussão sobre esse princípio de uma Atitude Mental Positiva: o que é, como pode ser alcançada e como podemos nos beneficiar de seus resultados. Na próxima semana, vamos discutir, na *School of the Air*, outro assunto que será de grande importância para nossos ouvintes: as Doze Grandes Riquezas da Vida. Juntem-se a nós novamente no próximo domingo à tarde.

SABEDORIA PARA VIVER

1. O que é uma atitude mental positiva (AMP)?
   a. É a atitude mental correta em qualquer situação.
   b. É uma disposição mental confiante, construtiva, segura, prática e progressista sobre e contra qualquer conjunto de circunstâncias.
   c. É composta pelas características positivas simbolizadas por palavras como fé, integridade, esperança, otimismo, coragem, iniciativa, generosidade, tolerância, tato, bondade e bom senso comum.
2. Com uma AMP, sua crença o guiará para seu objetivo principal definido, enquanto uma atitude mental negativa vai encher seus pensamentos de frustração e medo, e a mente vai atrair todos esses castigos. Se você não tenta controlar sua mente, a deixa aberta para toda influência negativa com que entra em contato.
3. Nada grande jamais foi alcançado sem a ajuda de uma atitude mental positiva, que começa com um objetivo principal definido, ativado por um desejo ardente e intensificado até o desejo se tornar fé aplicada.

ADVERSIDADE E VANTAGEM

1. Pensamentos são como ímãs. Pensamentos negativos atraem circunstâncias negativas; pensamentos positivos atraem desfechos positivos.
2. Você pode descobrir que seu padrão de pensamento negativo começou cedo, na infância. A principal razão para a negatividade ser tão comum é a crença em que a vida é uma batalha, que é difícil e cheia de problemas. Muitos pais dizem ou mostram aos filhos que a vida é dura, e as crianças acreditam nisso. Faz parte do nosso viés cultural de "resolução de problema", pelo qual recompensamos uns aos outros por resolvermos problemas. Em vez de problemas, por que não vemos oportunidades?
3. Treine-se para procurar a semente do benefício equivalente em todo desapontamento que enfrentar e vai ver muitas oportunidades. Pensamento negativo custa caro em termos mentais, físicos, emocionais e espirituais. Pensamento positivo rende muitos dividendos. *Mantenha uma atitude positiva; as coisas sempre vão se resolver!*

CAPÍTULO 10

AS DOZE GRANDES RIQUEZAS

(CAMINHO PARA A PAZ DE ESPÍRITO)

Aqueles que adquirem dinheiro em grandes quantidades sem adquirir as outras onze Grandes Riquezas não usam o dinheiro com sabedoria e, muitas vezes, acabam pagando caro por sua riqueza monetária.

– Napoleon Hill

VISÃO GERAL

Nesta lição, o propósito de Hill é fazer você entender que há outras riquezas intangíveis de valor maior que dinheiro, sem as quais você não pode ter paz de espírito, por mais dinheiro que tenha.

Neste capítulo, Hill discute:

- △ O poder oculto com que todo mundo nasce.
- △ Uma coisa dentro de você que o ajuda a estar em harmonia com família, colegas de trabalho, vizinhos, desconhecidos e, acima de tudo, com o Criador.
- △ O que é necessário para se tornar a pessoa mais rica com paz de espírito.
- △ A forma mais elevada de autodisciplina necessária para que todos tenham sucesso.
- △ Um fato que o fará seguir em frente todo o tempo.
- △ A base de todos os milagres.
- △ Como se tornar livre e independente.
- △ Um jeito de manter todas as riquezas.

Milhões de pessoas aprenderam como encontrar a paz que procuram aceitando o valor dessas riquezas intangíveis ao longo da cruzada pela riqueza material. Você também pode obter paz de espírito com o conhecimento contido neste capítulo.

PROGRAMA 10. AS DOZE GRANDES RIQUEZAS

ALDERFER:

O programa de hoje foi inspirado pelo remetente de uma carta com uma pergunta que devemos responder porque você também vai gostar de ouvir a resposta. Essa pessoa disse: "Ouço seu programa todos os domingos e fico empolgado com ele, mas tenho uma pergunta para a qual gostaria de ouvir sua resposta. Quando você fala de sucesso e riquezas, o que quer dizer, exatamente? Que riquezas são essas, dinheiro, ou o quê?". Todo o nosso programa será dedicado a responder essa pergunta, e aqui está Napoleon Hill para dar as respostas.

NAPOLEON HILL:

Boa tarde, amigos da rádio. Para começar, vou explicar que existem Doze Grandes Riquezas, ou doze diferentes fatores que fazem alguém rico, e vocês vão gostar de ver que cada uma delas é alguma coisa que qualquer um pode adquirir com muita facilidade.

ALDERFER:

Antes de Napoleon Hill identificar as Doze Grandes Riquezas, sugiro que vocês anotem enquanto ele as nomeia e depois se analisem com atenção para ver quantas delas já têm. E agora, Sr. Hill, será que pode dizer aos nossos ouvintes se é preciso reunir todos esses doze fatores antes de ser considerado rico?

NAPOLEON HILL:

Sim, para ser rico de mente, corpo e espírito, é preciso ter todas as doze coisas que compõem as riquezas, mas, como cada uma delas pode ser adquirida com facilidade por quase todo mundo, não há muitos motivos para alguém permanecer pobre.

ALDERFER:
E isso se aplica a todos de todas as raças e todos os credos, independentemente de escolaridade ou afiliações políticas e religiosas. Agora, amigos, preparem papel e caneta, e Napoleon Hill vai começar a descrever a número um das Doze Grandes Riquezas.

NAPOLEON HILL:
A número um das Doze Grandes Riquezas é uma Atitude Mental Positiva. Todas as riquezas, de qualquer natureza, começam como um estado mental; e vamos lembrar que seu estado mental é a única coisa sobre a qual você tem controle completo, absoluto e imutável. Você pode julgar melhor o valor desse direito de controlar e dirigir sua mente lembrando que esse é um presente do Criador, que deu ao homem os meios pelos quais controlar seu destino na Terra e fazer dele o que quiser.

ALDERFER:
Com isso você quer dizer que o homem tem o privilégio de aceitar o poder da própria mente e dirigi-lo para a realização de tudo que desejar; ou, se negligenciar esse privilégio e permitir que sua atitude mental se torne negativa, ele terá que aceitar da vida circunstâncias e coisas que pode não desejar.

NAPOLEON HILL:
É isso mesmo. O poder do homem para controlar e dirigir a própria mente para os fins que escolher é seu maior bem, e, se ele abraça esse poder e o dirige por meio de uma atitude mental positiva, atrai

todos os outros onze fatores que o tornam rico. Uma atitude mental positiva é importante porque atrai para o indivíduo as coisas e circunstâncias que ele deseja, enquanto uma atitude mental negativa atrai as coisas e circunstâncias que ele não quer. Mencionei isso em programas anteriores, mas é uma informação tão importante que merece ser repetida.

ALDERFER:
Talvez queira mencionar algumas coisas desejáveis que se pode adquirir mantendo a atitude mental positiva.

NAPOLEON HILL:
Uma atitude mental positiva atrai as riquezas da verdadeira amizade. E as riquezas que se encontra na esperança de uma realização futura. E as encontradas no trabalho que se escolhe, no qual é possível expressar o mais elevado plano da alma. E as riquezas do lar, dos negócios e dos relacionamentos ocupacionais. E as riquezas de ser livre de medo e preocupação. E as riquezas da canção e do riso. E as riquezas da fé duradoura na Inteligência Infinita, que coloca o indivíduo em harmonia com as leis do Universo. Sim, essas e todas as outras riquezas começam com uma atitude mental positiva. É surpreendente, então, que uma atitude mental positiva ocupe o primeiro lugar na lista das Doze Grandes Riquezas?

ALDERFER:
Pelo que acabou de dizer, podemos afirmar que a pessoa que segue o hábito de se expressar por meio de uma atitude mental positiva é realmente o "Senhor de seu destino, o Capitão de sua alma", como Henley declarou em seu poema *Invictus*.

E agora estamos prontos para a descrição da segunda das Doze Grandes Riquezas.

NAPOLEON HILL:
Número dois é Boa Saúde Física. Boa saúde começa com uma boa consciência de saúde, e isso é produzido por uma mente positiva, uma mente que pensa em termos de boa saúde, não em termos de doença. O hipocondríaco – isto é, alguém que sofre com doenças imaginárias – se adoece pela expressão de uma atitude mental negativa.

ALDERFER:
Podemos concluir, a partir do que disse, que uma atitude mental positiva é o único fator com o qual se pode manter boa saúde?

NAPOLEON HILL:
Não, não é o único fator, é só o mais importante, porque é literalmente verdadeiro que "um homem é como pensa". E isso se aplica à saúde e todos os outros fatores que afetam a vida do indivíduo. Acredite que terá boa saúde, e você vai seguir hábitos sensatos que o levarão à boa saúde. Acredite que será bem-sucedido, e fará coisas que o levarão ao sucesso. Quando um Criador onisciente nos deu o controle completo sobre uma única coisa, nossa mente, ele sabia que com esse poder mental poderíamos criar ou atrair para nós tudo que pudéssemos desejar ou precisar.

ALDERFER:
Não é maravilhoso quando reconhecemos que nascemos com tudo de que precisamos para adquirir tudo que desejamos? E não é chocante reconhecer como poucas pessoas descobrem esse poder dentro delas?

E agora estamos prontos para a número três das Doze Riquezas da Vida.

NAPOLEON HILL:

Número três é Harmonia nas Relações Humanas. Harmonia com os outros começa na harmonia com você mesmo. Porque é verdade que há grandes benefícios disponíveis para os que seguem o aviso de Shakespeare: "Sê a si próprio fiel; segue-se disso, como o dia à noite, que a ninguém poderás jamais ser falso". Depois que o indivíduo desenvolve o hábito da harmonia com ele mesmo, é fácil relacionar-se de maneira harmoniosa com seu Criador, os membros da família, os associados em sua ocupação, os vizinhos e os desconhecidos que encontra. Harmonia interna atrai as circunstâncias, coisas e pessoas desejadas. Desarmonia afasta tudo isso e atrai as coisas que não se quer.

ALDERFER:

Como podemos julgar se uma pessoa é ou não abençoada pelo hábito da harmonia interna?

NAPOLEON HILL:

É muito fácil. A pessoa que não tem harmonia dentro de si mesma é nervosa; irritável; fala com um tom ríspido; raramente sorri; a expressão no rosto é dura e repulsiva; os maneirismos são antipáticos; os hábitos, de maneira geral, não são confiáveis; e ela projeta uma vibração de desconforto e desagrado que todos à sua volta podem captar; portanto, não é procurada como companhia ou para preencher posições de responsabilidade; tem um temperamento volátil e incontrolável; e suas atitudes são propensas ao egoísmo.

ALDERFER:

Bem, apesar de tudo isso, pode ser uma pessoa agradável, não pode? (rindo)

Isso nos leva à quarta das Doze Grandes Riquezas.

NAPOLEON HILL:

Número quatro é Liberdade do Medo. Ninguém que sinta medo de alguma coisa é uma pessoa livre e independente como o Criador pretendeu que todos fôssemos. Medo é a ferramenta das forças do mal no mundo, e você pode ter certeza de que, onde essa ave de rapina paira, tem algo morto que deveria estar enterrado. Os sete medos mais comuns que assolam a humanidade são o medo da pobreza, da crítica, da doença, de perder o amor de alguém, de perder a liberdade, de envelhecer e da morte. E todos eles são medos criados pelo homem que podem ser dominados com uma atitude mental positiva.

ALDERFER:

Não nascemos com uma capacidade natural para o medo? E, às vezes, não é o medo que nos ajuda?

NAPOLEON HILL:

Essas perguntas são muito boas, mas preciso chamar sua atenção para a diferença entre medos baseados em motivos sólidos e medos que não têm nenhum fundamento. Por exemplo, medo das consequências de dirigir um automóvel sem nenhum cuidado é um medo construtivo. Mas, mesmo nesse caso, seria melhor se o indivíduo manifestasse grande fé em sua capacidade de dirigir com segurança, em vez de medo. E o medo da pobreza pode ser um medo saudável apenas se servir para tornar o indivíduo preparado com muitos recursos e parcimonioso.

ALDERFER:

Sim, entendo o que quer dizer. O medo só pode se tornar útil se for transmutado do estado mental negativo para o estado mental positivo, no qual pode ser transformado em uma força motriz muito benéfica.

Vamos à quinta das Doze Grandes Riquezas?

NAPOLEON HILL:

A número cinco é Esperança de Realização Futura. A maior de todas as formas de felicidade vem da esperança de um objetivo ou propósito desejável ainda não realizado. Essa esperança é responsável por todo progresso humano e é o meio pelo qual se pode seguir em frente, com bom ânimo, quando as dificuldades surgem e o sucesso parece distante. Pobre de quem não é capaz e não quer olhar para o futuro com esperança de se tornar a pessoa que gostaria de ser ou alcançar os objetivos que mais deseja, com a crença de que vai realizar esses objetivos.

Sem esperança, expressa pelos signatários da Declaração da Independência, hoje não existiria América livre. Sem esperança não haveria vacina para controlar a pólio. Sem esperança dos fiéis não haveria civilização, e ainda estaríamos vivendo na idade das trevas de crueldade e medo. Esperança é a salvação do indivíduo, a promessa de um futuro melhor para todos nós.

ALDERFER:

Esperança é o periscópio que nos deixa ver o céu limpo quando estamos submersos em problemas humanos, o telescópio que nos deixa vislumbrar a estrela distante da oportunidade, o mapa que nos guia para o nosso destino por caminhos novos e desconhecidos que nunca percorremos antes.

E agora, a sexta das Doze Grandes Riquezas.

NAPOLEON HILL:

Número seis é a Capacidade da Fé. Fé é o elo entre a mente do homem e o grande reservatório universal da Inteligência Infinita. É o solo fértil do jardim da mente humana, onde se pode plantar as sementes dos desejos com toda a certeza de que elas vão germinar e crescer até produzirem todas as riquezas que se quer ter. Fé é o elixir eterno que dá poder criativo e ação aos impulsos do pensamento humano. É a base de todos os milagres e muitos mistérios que não podem ser explicados pela lógica comum ou experiência. Fé é o poder que transmuta as energias comuns do pensamento em seus equivalentes espirituais. E é o único meio pelo qual as forças cósmicas da Inteligência Infinita podem ser apropriadas e usadas pelo homem.

ALDERFER:

Você poderia ter acrescentado que fé torna a palavra "impossível" sem significado e faz todas as coisas serem possíveis para a pessoa que sabe o que quer e vai atrás disso.

E agora, a sétima das Doze Grandes Riquezas.

NAPOLEON HILL:

Número sete é a Disponibilidade para Compartilhar Suas Bênçãos. Aquele que não aprendeu o ato abençoado de compartilhar não encontrou o verdadeiro caminho para a felicidade, porque felicidade só vem de compartilhar. E que seja para sempre lembrado que todas as riquezas podem ser aumentadas pelo simples processo de dividi-las quando podem servir a outras pessoas. E que seja lembrado também que o espaço que se ocupa no coração de um semelhante é determinado precisamente pelos serviços que se presta por meio de alguma forma de compartilhamento.

ALDERFER:

Quando você para e pensa nisso, reconhece que a pessoa supostamente rica que não divide suas posses com ninguém é a mais miserável. Podemos observar também que o amor, a mais profunda de todas as emoções humanas, é algo de que só podemos desfrutar quando damos.

O que nos leva à oitava das Doze Grandes Riquezas.

NAPOLEON HILL:

Número oito é um Trabalho de Amor. Não pode haver homem mais rico que aquele que encontrou um trabalho que ama e se dedica a desenvolvê-lo, porque o trabalho é uma das mais elevadas formas de expressão de desejo humano. Amor é o elo entre demanda e atendimento de todas as necessidades humanas, o precursor de todo progresso humano, o meio pelo qual a imaginação ganha asas de ação. E todo trabalho de amor é santificado porque traz a alegria da autoexpressão e remove a dureza de toda empreitada humana.

ALDERFER:

Suponho que foi um trabalho de amor que o amparou durante os duros anos de pesquisa, enquanto organizava a primeira filosofia prática de realização pessoal do mundo. Observei que, quando um homem se dedica a fazer aquilo que ama, ele não parece se cansar, e sua resistência vai além da compreensão humana, o que leva à conclusão de que um trabalho de amor contém algo muito parecido com a alma de um homem.

A seguir, vamos ver a nona das Doze Grandes Riquezas.

NAPOLEON HILL:

Número nove é uma Mente Aberta para Todos os Assuntos. Tolerância, que está entre os mais elevados atributos de cultura, só é expressada pela pessoa que mantém uma mente aberta para todos os assuntos o tempo todo. Só a pessoa de mente aberta é realmente educada e, assim, preparada para servir-se das grandes bênçãos da vida. Já foi dito que, enquanto o homem se mantiver verde e com a mente aberta e curiosa, ele pode se tornar maior e mais sábio, mas, quando ele amadurece com opiniões e julgamentos fixos, logo vêm a podridão e a decomposição.

ALDERFER:

Você também poderia ter acrescentado que um homem de mente fechada não é muito querido pelos outros, geralmente.

Qual é a décima das Doze Grandes Riquezas?

NAPOLEON HILL:

A número dez é Autodisciplina. A pessoa que não é senhora de si mesma talvez nunca se torne senhora de mais nada. Mas aquele que é senhor de si pode se tornar o mestre de todo o destino terreno. E a forma mais elevada de autodisciplina consiste na expressão de humildade depois de se ter adquirido grandes riquezas e encontrado o que normalmente é chamado de sucesso.

ALDERFER:

Sem autodisciplina não é possível para ninguém exercitar pleno e total controle sobre a própria mente, como o Criador pretendeu para todos. Não é verdade?

NAPOLEON HILL:

Sim, é absolutamente verdadeiro, e essa é uma das melhores razões para se desenvolver o hábito da autodisciplina. Um homem sem disciplina adequada sobre seus pensamentos e atos é como um navio sem leme e tem que ir aonde as ondas do oceano da vida o levarem.

ALDERFER:

Sob que circunstâncias a autodisciplina é mais essencial para a pessoa que espera alcançar sucesso relevante em sua vocação escolhida?

NAPOLEON HILL:

Sem hesitar, eu diria que autodisciplina é essencial em relação aos hábitos de pensamento, já que todos os atos e feitos não são mais que expressões de pensamentos. Mas não se esqueça que autodisciplina é um maravilhoso curador de doença, um milagroso destruidor do medo e da preocupação e o único meio pelo qual se pode tomar posse da mente e dirigi-la para os fins escolhidos, como o Criador garantiu que fosse. E é o meio pelo qual podemos nos proteger contra todos que tentam nos enfurecer e, assim, nos enfraquecer para atender a seus propósitos egoístas.

ALDERFER:

Parece, então, que autodisciplina deveria estar mais perto do topo da lista das Doze Grandes Riquezas.

NAPOLEON HILL:

Estaria, se as Doze Grandes Riquezas fossem apresentadas na ordem de seus valores relativos, o que não acontece. Devo acrescentar que autodisciplina é o meio pelo qual podemos manter a mente fixada nas circunstâncias e coisas que mais desejamos na vida e longe daquelas que não queremos.

ALDERFER:

Um dos benefícios mais promissores da autodisciplina é que ela pode ser adquirida sem permissão de terceiros. Se olharmos em volta, fica evidente que pessoas aparentemente assoladas pela pobreza, aquelas que são doentes e incapacitadas e as que têm problemas com a lei são geralmente mais notáveis pela falta de autodisciplina.

NAPOLEON HILL:

É verdade. Mostre-me uma pessoa que exerce disciplina perfeita sobre ela mesma, e eu lhe mostro uma pessoa que é um sucesso em tudo a que se propõe. Ela tem boa saúde, é feliz e querida por todos que a conhecem. A falta de autocontenção por parte do indivíduo é uma, se não a principal, causa de medo e caos no mundo hoje em dia. A salvação da humanidade depende de maneira vital das necessárias mudanças nos indivíduos, que usarão a autodisciplina para voltar aos fundamentos da religião e viver de acordo com eles, em vez de apenas professar sua crença neles. Acreditar não é suficiente. É preciso haver atos para apoiar a fé.

ALDERFER:

O que você acabou de dizer sobre as virtudes da autodisciplina é tão completo que não me restou nenhum comentário a fazer, então vamos passar à décima primeira das Doze Grandes Riquezas.

NAPOLEON HILL:

Número onze é a Capacidade de Entender Pessoas. A pessoa rica na capacidade de entender as outras sempre reconhece que todas as pessoas são fundamentalmente iguais por terem evoluído da mesma base, e que todas as atividades humanas são inspiradas por um ou mais dos mesmos motivos básicos.

ALDERFER:

Em que circunstâncias é mais benéfico ter a capacidade de entender outras pessoas?

NAPOLEON HILL:

Eu diria que nas relações com pessoas de que quem não gostamos muito ou de quem discordamos definitivamente. Não é difícil entender aqueles com quem não temos conflitos de opiniões, mas a história é diferente quando estamos lidando com os que discordam de nós.

ALDERFER:

A capacidade de entender outras pessoas traz outras vantagens?

NAPOLEON HILL:

Sim, ela permite que o indivíduo se torne mais flexível em suas relações com os outros e o capacita a se adaptar a circunstâncias desagradáveis sem perder a calma ou a compostura. Ela também permite que o indivíduo transmute o ódio em piedade e tempere seus julgamentos com misericórdia e perdão quando sofre injúria ou é enganado. A capacidade de entender os outros ajuda a fazer concessões às fraquezas alheias e reconhecer plenamente suas virtudes.

ALDERFER:

Isso nos leva à última das Doze Grandes Riquezas, e muita gente a teria colocado no topo da lista, não no fim dela, e sei que terei algumas observações esclarecedoras a fazer em relação ao acúmulo e à utilização do dinheiro.

NAPOLEON HILL:

Número doze é Segurança Econômica, ou, mais simplesmente, Dinheiro. O motivo para eu não ter posto Dinheiro em primeiro lugar entre as Doze Grandes Riquezas da Vida vem de minha observação daqueles que têm dinheiro em grandes quantidades, mas não têm algumas ou todas as outras coisas que tornam as pessoas realmente ricas.

ALDERFER:

Notei que você não incluiu paz de espírito como um dos itens essenciais das riquezas. Não deveria estar na lista?

NAPOLEON HILL:

Paz de espírito é, ou deveria ser, uma das maiores de todas as riquezas. Não a incluí porque todos que adquiriram as Doze Grandes Riquezas que mencionei também encontraram paz de espírito. E encontraram felicidade, que é o objetivo de todas as pessoas e talvez o único principal objetivo da vida.

ALDERFER:

Aqueles que adquirem as onze primeiras das Doze Grandes Riquezas se apoderam automaticamente da décima segunda, que é dinheiro?

NAPOLEON HILL:

Não, mas elas vão formar a base para o acúmulo de dinheiro. A verdadeira aquisição de dinheiro começa pelo desenvolvimento de uma consciência do dinheiro, isto é, um profundo e duradouro desejo por dinheiro. Isso vai levar, naturalmente, à prestação de serviço ou à troca de coisas de valor que confiram o direito a adquirir dinheiro. Além disso, aqueles que adquirem as primeiras onze das Grandes Riquezas não só estarão em posição de adquirir dinheiro, mas também, o mais importante, serão capazes de usar o dinheiro com sabedoria.

ALDERFER:

Mas não é possível adquirir dinheiro em grandes quantidades sem a ajuda das outras onze Grandes Riquezas?

NAPOLEON HILL:

Certamente sim, mas imploro que você observe com atenção o que acontece com quem faz isso. Você vai descobrir, em cada um desses casos, que aqueles que adquirem dinheiro em grandes quantidades sem antes conquistar as outras onze Grandes Riquezas não usam o dinheiro com sabedoria e, frequentemente, pagam muito caro por sua riqueza monetária.

ALDERFER:

Talvez vocês que estão ouvindo este programa queiram acrescentar alguns itens que julgam essencial adquirir antes de se conceituarem ricos. Portanto, sugiro que escrevam a lista completa das Doze

Grandes Riquezas, depois acrescentem a ela as que considerarem necessárias para ter riqueza absoluta na vida.

NAPOLEON HILL:
Essa é uma excelente ideia. E vou acrescentar mais uma sugestão à de Henry: você pode achar útil fazer uma lista de suas riquezas, materiais ou não, e expressar gratidão todas as noites na forma de uma oração por essas bênçãos. Você vai descobrir que, quanto mais agradece ao Doador de todos os dons pelas bênçãos que sabe ter, outras ainda maiores serão concedidas a você. Vivemos em uma era de abundância de tudo, menos gratidão por aquilo que temos.

ALDERFER:
Posso fazer uma observação em relação às Doze Grandes Riquezas que talvez beneficie muito nossos ouvintes? Quero apontar que nenhuma das Doze Grandes Riquezas está além do seu alcance; nenhuma delas é difícil de alcançar; e elas podem ser adquiridas sem nenhuma relação com idade, escolaridade, raça ou religião. E podem ser conquistadas sem você ter que pedir permissão a ninguém pelo privilégio de adquiri-las. Essa não é uma observação animadora?

NAPOLEON HILL:
Agora que sabe o que torna as pessoas realmente ricas, o que vai fazer em relação a isso? E quando vai começar? Posso sugerir que o melhor ponto de partida é escrever uma lista completa das Doze Grandes Riquezas e colocá-la onde possa se avaliar em relação a ela diariamente pelos próximos trinta dias. Verifique a lista das Grandes Riquezas item por item e coloque um "OK" ao lado daqueles que acredita já ter adquirido e um zero ao lado dos que ainda faltam.

ALDERFER:

Com esse método, você logo vai aprender a fazer inventários precisos de suas riquezas e desenvolver uma consciência que o levará à aquisição daquelas que ainda não tem. Esse inventário é algo que todos nós devemos fazer regularmente, como o mercador bem-sucedido mantém um inventário de sua mercadoria.

NAPOLEON HILL:

Sugiro também que você peça a alguém que o conhece bem para checar sua avaliação de cada uma das Doze Grandes Riquezas, pois é um hábito comum do ser humano errar em favor próprio quando faz um inventário de suas bênçãos e qualidades. Deixe seu marido ou sua esposa, ou algum amigo próximo que o desafie a dizer a verdade sobre si mesmo, dar uma olhada em sua classificação das Doze Grandes Riquezas, e vai fazer descobertas que serão grandes benefícios para você.

ALDERFER:

Como Napoleon Hill já disse tantas vezes, "Se você estiver pronto para uma coisa, ela vai aparecer". Parafraseando essa afirmação, se você estiver pronto para as Doze Grandes Riquezas, ou para qualquer uma delas ou mais de uma, elas vão aparecer em circunstâncias que você vai ser capaz de reconhecer e aceitar. Obrigado, Napoleon Hill, por sua explicação das Doze Grandes Riquezas da Vida.

Ouvintes da rádio, sintonizem esta estação novamente na semana que vem, quando Napoleon Hill vai discutir os "Quatro Grandes" dos princípios do sucesso. O programa também vai incluir um convidado especial que exemplifica esses princípios.

SABEDORIA PARA VIVER

1. A diferença entre pobreza e riqueza não é mensurável apenas em dinheiro ou posses materiais. Há Doze Riquezas; onze delas não são materiais, mas são intimamente relacionadas às forças espirituais disponíveis a todos nós.
2. Homens e mulheres que dominam e aplicam a filosofia de Napoleon Hill têm segurança econômica porque detêm os meios pelos quais o dinheiro pode ser adquirido. Podem ficar sem dinheiro ou perdê-lo por erro de julgamento, mas isso não os priva de segurança econômica, porque eles conhecem a fonte do dinheiro e como entrar em contato e se beneficiar dela.
3. As Doze Grandes Riquezas da Vida podem trazer paz de espírito e lhe dar uma vida bem equilibrada, composta de toda circunstância e todo bem material de que você precisa ou que deseja.

ADVERSIDADE E VANTAGEM

1. Quando dizemos que toda adversidade, toda circunstância desagradável, todo fracasso e todo sofrimento físico carregam a semente de um benefício equivalente, não seremos capazes de encontrar essa semente até condicionarmos a mente com as Doze Grandes Riquezas da Vida explicadas neste capítulo.
2. Sofrimento, decepção, frustração e tristeza podem nos engrandecer ou nos empurrar para o fracasso permanente. O fator determinante para qual dessas circunstâncias será instalada depende inteiramente da atitude mental do indivíduo em relação a elas.
3. Fracasso é uma bênção ou uma maldição, dependendo da reação do indivíduo a ele. Para quem considera o fracasso uma espécie de empurrão do destino, que orienta a pessoa a se mover em outra direção, e para quem age a partir desse sinal, a experiência quase certamente se torna uma bênção. Para quem aceita o fracasso como uma indicação de fraqueza e o lamenta até que ele produza um complexo de inferioridade, é uma maldição. A natureza da reação conta a história, e isso está sob o controle exclusivo do indivíduo em todos os momentos.

CAPÍTULO 11

OS QUATRO GRANDES

(UM BILHETE PARA DESFECHOS FAVORÁVEIS)

Quem não presta bom serviço pelo qual é pago é desonesto, e quem não se dispõe a fazer mais que isso é tolo.

– Charles Schwab

VISÃO GERAL

Neste capítulo, Hill revisita o conceito de Fazer o Esforço Extra que introduziu no Capítulo 2. O propósito desta lição é reforçar o conhecimento de que ninguém jamais obteve sucesso relevante sem praticar o hábito de Fazer o Esforço Extra.

Hill vai explicar como:

- Conhecer e compreender o conceito de Fazer o Esforço Extra não só traz desfechos positivos, como também começa a produzir milagres em sua vida.
- Experimentar os resultados desse hábito vai inspirá-lo e impedir sentimentos de decepção ou desânimo.

Aplicar o princípio de Fazer o Esforço Extra é de tamanha importância que, sem ele, ninguém pode se tornar um verdadeiro sucesso. Quando você aprender o poder de aplicar esse princípio sem falha durante a vida, vai ter a habilidade de alcançar o sucesso onde outros não conseguiram.

PROGRAMA 11. OS QUATRO GRANDES

ANUNCIANTE:

Boa tarde, senhoras e senhores. A *Radio School of the Air* está no ar. A famosa filosofia do sucesso de Napoleon Hill é apresentada nestas aulas pelo rádio. Napoleon Hill tem um histórico longo e bem-sucedido. O tempo não me permite falar sobre ele mais demoradamente. A lição de hoje traz um convidado que seguiu os princípios do sucesso desenvolvidos e testados por Napoleon Hill. Auxiliando o Sr. Hill, temos Henry Alderfer, diretor associado de educação da *Success School of the Air*. E agora, o Sr. Alderfer.

ALDERFER:

Obrigado. Bem, amigos, hoje tempos uma surpresa para vocês. Nestes programas aos domingos, temos contado como as pessoas alcançam o sucesso, e hoje temos como nosso convidado um homem que se tornou muito bem-sucedido aqui em Chicago. Como muitas pessoas que chegam a elevados patamares de sucesso, nosso convidado começou de baixo e criou um lugar para ele seguindo os mesmos princípios do sucesso que temos apresentado neste programa. Com vocês, Napoleon Hill, que vai explicar por que esse homem foi escolhido como nosso convidado e apontar os princípios do sucesso específicos usados por ele.

NAPOLEON HILL:

Boa tarde, meus amigos. Antes de apresentar nosso convidado, quero lembrar que ninguém jamais chega a um sucesso relevante sem aplicar os Quatro Grandes princípios do sucesso. Eles são Definição de Objetivo, MasterMind, Fé Aplicada e o hábito de Fazer o Esforço Extra. Vocês vão ver que nosso convidado usou não só os

Quatro Grandes princípios do sucesso, mas também outros princípios que vocês vão conseguir reconhecer.

ALDERFER:
Sim, ele certamente fez uso dos princípios de Personalidade Agradável, Entusiasmo, Lucrar com a Adversidade, Concentração de Esforço e Atitude Mental Positiva, como vão observar quando ouvirem sua história. No entanto, um dos princípios do sucesso se destacou sobre todos os outros em suas relações com outras pessoas.

NAPOLEON HILL:
É claro, você se refere ao hábito de Fazer o Esforço Extra. É muito óbvio que nosso convidado não só se esforça para prestar mais serviço do que aquele pelo qual é pago, como também age assim por gostar das pessoas e querer ver todo mundo avançar.

ALDERFER:
Nosso convidado é Mel Thillens, presidente de uma transportadora de valores que conta com uma frota de caminhões blindados nos quais ele transporta o pagamento de funcionários de mais de 1.200 empresas na área de Chicago, funcionando 24 horas por dia em turnos diurnos e noturnos. Mel é um bom exemplo de um empresário bem-sucedido que acredita em compartilhar seu sucesso com os outros. Depois de ter encontrado reveses que teriam desencorajado o homem comum de buscar o sucesso mais alto, Mel Thillens começou sua companhia de transporte de valores com um capital de trezentos dólares emprestados, administrados com tanta eficiência que sua empresa hoje desconta mais de sete milhões de dólares em cheques-salário toda semana. E agora, Napoleon Hill vai assumir o comando e ajudar Mel a contar sua história dramá-

tica, que mostra claramente que toda adversidade carrega nela a semente de uma vantagem equivalente.

NAPOLEON HILL:

Bem-vindo ao nosso programa, Mel Thillens. É um prazer tê-lo aqui, porque você é um exemplo vivo de homem que alcançou sucesso relevante usando princípios que temos apresentado neste programa. E agora, Mel, quero que você descreva brevemente, por favor, todos os empregos que teve antes de se tornar dono do próprio negócio. Qual foi seu primeiro emprego, e quando trabalhou nele?

THILLENS:

Meu primeiro emprego foi no Banco de Chicago, quando eu tinha dezesseis anos. Foi no início da Depressão. O banco fechou por causa da Depressão, e fiquei desempregado, mas não perdi a esperança, pois sabia que encontraria uma boa posição para mim em algum lugar.

NAPOLEON HILL:

Em outras palavras, quando as coisas ficaram difíceis, em vez de desistir, você aumentou a pressão e decidiu que, em um país grandioso como o nosso, não existe motivo legítimo para ninguém perder a esperança. Qual foi seu passo seguinte?

THILLENS:

Um dos executivos do banco que havia fechado abriu um negócio próprio, uma casa de câmbio, e me deu um emprego. Tinha notado minha disponibilidade ao prestar mais serviço do que era esperado de mim, e essa foi uma das razões para ele me contratar, provavelmente.

NAPOLEON HILL:
E como foi nesse novo emprego, Mel?

THILLENS:
Não fui muito bem. Na verdade, fui demitido, e o negócio fechou em pouco tempo, porque as condições econômicas eram tão ruins que ele começou a perder muito dinheiro.

NAPOLEON HILL:
Bem, a sorte estava fugindo de você, e tenho certeza de que perder dois empregos em uma sucessão rápida foi bem desanimador, não foi?

THILLENS:
Não, fiquei desapontado, mas não desanimado, porque sabia que o tipo de serviço que estava disposto a prestar seria bem recebido em algum lugar, de algum jeito. O executivo do banco que abriu a casa de câmbio se mudou do escritório onde trabalhávamos, mas eu não saí de lá. Fiquei cuidando dos livros, sem receber pagamento, para uma imobiliária que ocupava o mesmo espaço.

NAPOLEON HILL:
Você fez o esforço extra, mesmo quando foi dominado pela adversidade, e é justamente nesse lugar que a maioria das pessoas desiste e espera a ajuda de alguém. Você estava passando por um período de testes severos, e essa foi uma experiência maravilhosa, porque o apresentou ao seu Outro Eu – aquele eu que transforma obstáculos em degraus para oportunidades. Qual foi seu movimento seguinte?

THILLENS:

Cheguei a uma decisão que exigiu muita coragem, mas se mostrou acertada. Decidi reabrir a casa de câmbio. Não tinha capital, mas pedi US$ 300 em uma pequena casa de empréstimos e fui em frente. Continuei cuidando da contabilidade da imobiliária no mesmo escritório, para pagar o espaço que ocupava.

NAPOLEON HILL:

Suponho que, a partir daí, o caminho tenha sido fácil para você, e os problemas acabaram.

THILLENS:

Com relação aos problemas, nunca reconheci nenhuma circunstância adversa como problema, só como inspiração para um esforço maior. E você bem pode imaginar que o pequeno capital de giro que eu tinha, US$ 300, quando precisava de muito mais, me deu muito em que pensar antes de finalmente ultrapassar a marca do que você chama de "fim dos problemas".

NAPOLEON HILL:

Mel, como você conseguiu criar uma empresa de valores com apenas US$ 300 e ganhar a vida com um capital de giro tão pequeno?

THILLENS:

Se um homem tem um bom plano de sucesso e confia em si mesmo, ele sempre vai encontrar um jeito de pôr seus planos em prática. Fiz os US$ 300 de capital de giro resolverem o problema por um período fazendo "jornada dupla", digamos assim. Para ser mais específico, mantinha o capital de giro em dinheiro no caixa correndo ao banco e trocando cheques assim que os recebia.

É verdade que gastei muita sola de sapato, mas não gastei minha paciência ou minha fé. Além disso, logo pensei em outro plano que me rendeu um desfecho favorável. Descobri que alguns dos meus melhores clientes tinham confiança suficiente em mim para deixar seus cheques-salário comigo em troca de um recibo, e isso me dava a chance de ir ao banco descontar os cheques antes de entregar o dinheiro aos clientes, às vezes um dia depois.

NAPOLEON HILL:
Suponho que teve alguns outros momentos favoráveis pelo caminho. Pessoas que acreditam nelas mesmas e estão dispostas a fazer o esforço extra sempre atraem conclusões favoráveis, de algum jeito.

THILLENS:
Sim, tive outro momento favorável, pode-se dizer, quando os trabalhadores de um projeto de construção civil do governo na minha região começaram a trocar seus cheques na minha casa de câmbio. Mas isso também me trouxe algumas dores de cabeça, porque as longas filas de operários que se formavam no meu escritório no dia do pagamento perturbavam a rotina de tal maneira que eu soube que precisava fazer alguma coisa em relação a isso.

NAPOLEON HILL:
Mais uma vez, chegou a um ponto de transformação em que teve de tomar uma decisão que provavelmente exigiu coragem e risco financeiro. Além disso, mais uma vez se viu diante de uma oportunidade de aprender de que era feito Mel Thillens. Como resolveu a situação?

THILLENS:

Decidi que, em vez de deixar os operários formarem fila na frente do meu escritório no dia do pagamento, eu descontaria os cheques no local de trabalho deles. Para isso, precisava de um caminhão blindado e guardas armados para garantir a segurança. Fiz um empréstimo para comprar o caminhão, e logo meu problema tinha se transformado em um negócio próspero. Em vez de depender de as pessoas irem me procurar para descontar seus cheques-salário, decidi ir até elas em seus locais de trabalho. Hoje atendemos os empregados de mais de 1.200 empresas de Chicago, descontando seus cheques-salário sem perda de tempo para os empregados ou empregador e sem custo para a administração.

NAPOLEON HILL:

Depois de pôr em operação uma frota de caminhões blindados para administrar sua empresa de câmbio e tirar a companhia do vermelho, você começou a procurar meios de expressar gratidão por seu sucesso. E não precisou procurar muito. Há cerca de cinco anos voltou sua atenção, e boa parte dos lucros de sua empresa, para trabalhar pela solução do problema da delinquência juvenil em Chicago. Você fundou a Thillens Boys' Major Baseball League, que administra em seu belo estádio ao ar livre no North Side de Chicago, onde aceita todos os meninos com idade entre nove e doze anos. Mel, pode nos contar alguma coisa sobre o que está realizando na vida desses meninos?

THILLENS:

Nos últimos cinco anos, quinhentos meninos, todos os anos, jogando em trinta times, competiram nas ligas Thillens. São disputados três jogos todas as noites da semana, no verão. Os jogos são abertos ao público, e a entrada é gratuita. Os meninos ganham uniformes como os da grande liga e jogam sob holofotes, como seus ídolos.

Além dos fundamentos do jogo, eles aprendem a jogar limpo e se comportar como cavalheiros, com instrutores preparados da área de educação física. Acreditamos que nosso programa é uma grande arma na luta contra a delinquência juvenil. A família se aproxima quando filho, irmã, pai e mãe participam da prática esportiva dos meninos. Você gostaria de ver aqueles meninos em ação, porque saberia que estão sendo disciplinados na mente e no corpo para enfrentar as responsabilidades da vida adulta. E eles se orgulham tanto daqueles uniformes novos que acho que às vezes dormem com eles!

NAPOLEON HILL:
Acho que essa é a melhor coisa que um empresário fez para melhorar a vida de meninos, até onde sei, e quero lhe dar os parabéns, Mel, e expressar, ao mesmo tempo, a esperança de que você inspire outros homens a dar mais atenção à juventude de hoje, aos que vão se tornar os líderes do governo e dos negócios no futuro. Agora sei por que sempre parece estar tão feliz e por que é tão bem-sucedido em seus negócios. Você não só faz o esforço extra em tudo, como também se diverte muito com isso, e essa é minha ideia de fazer a vida pagar também em felicidade, não só em bens materiais.

THILLENS:
Talvez queira saber, Sr. Hill, que nossos negócios começaram a prosperar de verdade na proporção quase exata do esforço que fizemos para desenvolver a Thillens Boys' Major Baseball League. Além disso, a felicidade que inspiramos na vida desses meninos voltou para nós sem que esperássemos, trazendo alegria e harmonia e um espírito de cooperação em nossa família comercial.

Muitos meninos que começaram jogando beisebol conosco hoje ocupam posições de responsabilidade no comércio e na indústria e são nossos melhores embaixadores da boa vontade.

NAPOLEON HILL:

Estive no seu escritório, e a primeira coisa que notei ao entrar no prédio foi o espírito de harmonia que prevalece por lá. Também fiquei impressionado por você se referir à sua família empresarial como associados, não empregados, e não pude deixar de me perguntar por que o exemplo que você estabeleceu na relação com seus associados não é adotado em todas as instituições empresariais bem administradas. Você nunca vai ter problemas com o sindicato enquanto se relacionar com seus funcionários associados de forma que eles tenham por você um profundo afeto, como têm agora.

THILLENS:

Bem, Sr. Hill, nunca descobri maneira melhor de encontrar felicidade que não fosse ajudando os outros a encontrá-la, e digo o mesmo do sucesso financeiro – a melhor e mais certa maneira de encontrá-lo é ajudando outras pessoas a terem esse sucesso.

NAPOLEON HILL:

Mel, estou descobrindo que você é não só um empresário bem-sucedido, mas também um bom filósofo, e se algum dia tiver a ideia de desistir da casa de câmbio, me avise, porque talvez eu possa incorporá-lo à minha equipe para ajudar outras pessoas a se ajudarem pelo pensamento positivo.

THILLENS:

Muito obrigado, mas, em vez de abrir mão da casa de câmbio, tenho a esperança de ampliá-la em nível nacional.

NAPOLEON HILL:

E a Thillens Boys' Major Baseball League? Vai acompanhar seu plano de expansão para a casa de câmbio?

THILLENS:

Para ser bem honesto, Sr. Hill, alguns amigos acreditam que meu primeiro amor é a Boys' Major Baseball League, e não vou negar que eles estão corretos. Quero que vá ver esses meninos em ação, e então vai entender o motivo do meu afeto por eles. Ganhar dinheiro é agradável e necessário, é claro, mas transformar garotos em cidadãos bons e corretos dá um entusiasmo que dificilmente poderá ser descrito com palavras. Cada vez que leio nos jornais sobre algum jovem que se meteu em confusão com a lei, não consigo deixar de acreditar que, se ele fizesse parte de um dos nossos times da Boys' Major Baseball League, estaria seguro e livre de problemas.

NAPOLEON HILL:

Quais são os requisitos para ser um de seus associados, Mel?

THILLENS:

Acima de tudo, queremos homens com um aguçado senso de lealdade. Depois, queremos que sejam confiáveis. A seguir, queremos que gostem das pessoas e que sejam simpáticos e se vistam com capricho. E, é claro, queremos homens que possam entrevistar executivos de igual para igual. Finalmente, mas talvez o mais importante, queremos homens que gostem sinceramente de prestar mais e melhor serviço do que aquele que se espera deles, porque aprendemos por experiência que é esse tipo de pessoa que faz amigos para si mesmo e para a nossa empresa.

NAPOLEON HILL:

Obrigado, Mel Thillens, e que todas as suas empreitadas sejam abençoadas com o sucesso que você tanto merece. E agora, Henry Alderfer, noto que continua conosco, embora Mel e eu tenhamos conversado praticamente só entre nós.

ALDERFER:

Para ser perfeitamente verdadeiro, estava tão interessado em tudo que vocês diziam, que esperava que me deixassem só ouvir. Não é um prazer real, nesta era da pressa e da ganância, encontrar um homem como Mel Thillens, que dedica tempo e dinheiro para ajudar a construir cidadãos melhores a partir de jovens americanos? Enquanto Mel falava, não pude deixar de pensar que milagre aconteceria na cidade de Chicago se apenas uma centena de empresários bem-sucedidos reservasse uma parte de seu tempo e seu dinheiro para ajudar meninos e meninas a se encontrarem por meio do esporte, supervisionados por diretores competentes. Se pudéssemos multiplicar Mel Thillens por cem e colocar seus planos humanitários em ação em todos os níveis da sociedade, logo não haveria problemas de delinquência juvenil em Chicago.

NAPOLEON HILL:

Sim, e esse método de fazer o esforço extra seria igualmente benéfico para os patrocinadores e para os jovens que eles ajudariam a começar na vida pelo caminho certo. Há algum estranho poder associado a esse princípio de Fazer o Esforço Extra que muitas vezes produz milagres na vida daqueles que o praticam. Porque é verdade que tudo que você faz para ou por alguém, faz para ou por você mesmo.

ALDERFER:

Ralph Waldo Emerson não chegou bem perto de descrever esse estranho poder associado ao hábito de Fazer o Esforço Extra em seu ensaio *Compensação*?

NAPOLEON HILL:

Sim, é verdade! E ele deixou claro que esse poder não é construído pelo homem; na verdade, é parte do grande sistema universal que nos organiza pelos espaços cósmicos do Universo. Observei que a melhor coisa, depois de prestar serviço útil, é destacar outras pessoas que sejam úteis, de forma a ampliar sua utilidade. Já há muita gente que se dedica a descobrir as fraquezas e os erros das pessoas. Não é desejável destacar as que estão fazendo o bem no mundo e exibi-las como exemplos a serem seguidos?

ALDERFER:

Agora é um momento apropriado para sugerir que Napoleon Hill siga o próprio conselho deixando que vocês, ouvintes, espiem por cima do ombro dele, digamos assim, para um código de ética pessoal que ele escreveu para si mesmo, intitulado *Gratidão*. Acho que vão gostar de saber que ele escreveu o código inspirado por uma reunião e uma conversa que teve com Mel Thillens, o que só prova mais uma vez que não é possível conviver com alguém, seja uma pessoa boa ou má, sem absorver parte de seu caráter.

NAPOLEON HILL:
Correto, Henry, e vou dedicar esse código de ética a Mel Thillens. O título é GRATIDÃO.

Gratidão!

Pelas mãos abundantes do Destino recebi muitas bênçãos pelas quais ofereço um profundo e duradouro sentimento de gratidão.

Sou grato pelas adversidades e derrotas que experimentei, porque me deram força por meio do esforço.

Sou grato por ter conhecido a pobreza, porque ela me ensinou como avaliar apropriadamente a riqueza.

Sou grato pelas pessoas desorientadas que se dedicaram a se relacionar comigo de maneira injusta, porque me deram uma oportunidade de perdoá-las.

Sou grato pela terra onde nasci, porque ela me deu toda a oportunidade de progresso que posso abraçar e usar.

Sou grato pelos erros e enganos que cometi, porque eles me ensinaram as virtudes da cautela e do pensamento preciso.

Sou grato pelo trabalho a que tenho dedicado minha vida, porque ele me deu o privilégio de inspirar e ajudar incontáveis milhões de pessoas.

Sou grato por ter tido alguns inimigos, porque me forçaram a me inspecionar cuidadosamente por dentro e fazer algumas necessárias correções de caráter.

Sou grato por poder atestar que minha fé é maior que todos os medos, e minha alma é livre de ódio e inveja.

Sou grato por minha capacidade controlada de indignação justa, porque ela me incentiva a me manifestar e me fazer ouvir em nome da justiça.

Sou grato por ter aprendido a me imunizar contra a influência de atos e pensamentos negativos.

Sou grato por ter testemunhado a glória do Criador por meio das abundantes realizações do homem durante a primeira metade do século 20.

E sou muito profundamente grato por me ter sido revelada a porta pela qual posso fazer contato e recorrer ao poder da Inteligência Infinita para todas as minhas necessidades.

Finalmente, se eu pudesse conceder a mim mesmo um único desejo, seria o de poder compartilhar todas essas bênçãos com meus semelhantes, agora e sempre.

ALDERFER:

Muito obrigado, Napoleon Hill. E obrigado, Mel Thillens, por compartilhar com nossos ouvintes sua história inspiradora. Amigos, estejam conosco no próximo domingo para outro programa, quando o Sr. Hill vai dizer como conquistar uma Atitude Mental Positiva.

SABEDORIA PARA VIVER

1. Fazer o Esforço Extra é o hábito de prestar mais e melhor serviço do que aquele pelo qual se é pago e prestar esse serviço com uma atitude mental positiva. Essa é, definitivamente, uma regra pela qual uma pessoa pode determinar o próprio preço e ter certeza de recebê-lo.
2. Você pode ser uma enciclopédia de conhecimento e ainda ser um fracasso. Seu intelecto ou sua escolaridade não vão servir de muita coisa se você não conseguir a cooperação das pessoas. Fazer o Esforço Extra é o único jeito de fazer isso acontecer.
3. Qualquer sistema, qualquer filosofia ou qualquer prática que prive uma pessoa do privilégio de Fazer o Esforço Extra é ruim e está fadado ao fracasso.
4. Há numerosos e extraordinários benefícios que se pode ter ao Fazer o Esforço Extra. Ele:
    a. Elimina competição
    b. Gera demanda contínua para seu serviço
    c. Cria desfechos favoráveis para você
    d. Gera segurança econômica e luxos disponíveis apenas para aqueles que fazem o esforço extra
    e. Torna-o indispensável nos relacionamentos no local de trabalho
    f. Leva ao desenvolvimento de uma atitude e personalidade positiva, agradável
    g. Dá mais confiança em si mesmo e o coloca em melhor situação com sua consciência

h. Permite que você viva uma vida que outros buscam às cegas
i. Cria oportunidades

5. Seu sucesso na vida está em proporção direta com o que você faz depois de fazer o que esperam que faça. E esse pequeno extra pode ser tudo de que você precisa para ter sucesso.

ADVERSIDADE E VANTAGEM

1. Adversidade chega para aqueles que fogem consistentemente do trabalho e acreditam ter o direito de enganar seu empregador por ganharem pouco. Essas pessoas não só não estão aptas a deixar a pobreza, como também se colocam em um buraco ainda mais fundo de miséria.
2. O único jeito de sair da miséria é começar a praticar o hábito de Fazer o Esforço Extra. Como a maioria das pessoas não pratica o hábito de Fazer o Esforço Extra, você tem uma tremenda oportunidade, maior que todas, de chegar ao sucesso se adotar, seguir e agir a partir dessa principal estratégia.

CAPÍTULO 12

FATORES DE UMA ATITUDE MENTAL POSITIVA

Pessoas que controlam sua atitude mental controlam seu destino.

–Napoleon Hill

VISÃO GERAL

Hill explica o princípio de uma Atitude Mental Positiva no capítulo 9. No entanto, aqui ele ensina como manter essa atitude o tempo todo e fazer dela um hábito que:

- Transforma toda experiência, seja ela agradável ou desagradável, em algo benéfico que leva à paz de espírito.
- Ajuda você a procurar a "semente do benefício equivalente" que acompanha cada fracasso, adversidade ou derrota.
- Avalia todos os problemas que podem ser resolvidos e os que você não pode controlar.
- Mantém sua mente nas coisas que você quer e longe das coisas que você não deseja.
- Ajuda você a seguir em frente na direção da conquista de objetivo definido sem hesitação.
- Condiciona sua mente a eliminar todos os tipos de medos.

A lição de Hill vai mostrar a você como Atitude Mental Positiva é um bem de valor inestimável que, quando usado em todo o seu potencial, garante que você nunca se desvie de seus objetivos.

PROGRAMA 12. FATORES DE UMA ATITUDE MENTAL POSITIVA

ANUNCIANTE:

Boa tarde, senhoras e senhores. A *Radio School of Success Unlimited* está no ar. A famosa filosofia do sucesso de Napoleon Hill está sendo apresentada a você nessas treze lições. Napoleon Hill tem um longo e bem-sucedido histórico. O tempo não me permite falar sobre ele demoradamente, mas a lição de hoje, que vocês vão ouvir em seguida, segue os princípios do sucesso desenvolvidos e provados por Napoleon Hill. Auxiliando o Sr. Hill, está aqui o Sr. Henry Alderfer, diretor associado de educação do Napoleon Hill Institute. Com vocês, o Sr. Alderfer.

ALDERFER:

Obrigado. Hoje temos outra joia para vocês. Napoleon Hill falou, em um programa anterior, que uma atitude mental positiva é a primeira das Doze Grandes Riquezas da Vida. Agora ele vai abordar esse tema mais detalhadamente e descrever, um a um, os fatores que vão levá-los a uma atitude mental positiva. Há sempre um ponto de partida de onde você deve iniciar essa busca pelo sucesso, e ele vai lhe dizer onde começar a formar o hábito de uma atitude mental positiva. E aqui está Napoleon Hill.

NAPOLEON HILL:

Boa tarde, meus amigos da rádio. Bem, em primeiro lugar, para desenvolver o hábito de uma atitude mental positiva, você precisa aprender a se ajustar ao estado mental de outras pessoas e às suas peculiaridades, de forma a se entender bem com elas e pacificamente, mesmo que nem sempre concorde com elas. E, acima de tudo, você deve evitar enfatizar circunstâncias triviais em seus relacionamentos com outras pessoas, recusando-se a permitir que se tornem incidentes controversos.

ALDERFER:
Por exemplo, se faço alguma coisa de que você não gosta ou digo algo que o desagrada, é melhor ficar quieto a começar uma discussão. É isso que quer dizer?

NAPOLEON HILL:
Sim, mas essa é só uma parte da resposta. Você poderia ter acrescentado que a pessoa que mantém a mente positiva não só se nega a dedicar-se a conversas corriqueiras ou discussões sem importância, como também muda de assunto de maneira deliberada e diplomática para tratar de temas de sua escolha a fim de evitar discussões desnecessárias.

ALDERFER:
Não é assim que o mestre em vendas se relaciona com um comprador argumentador?

NAPOLEON HILL:
Sim, e vamos lembrar que todos somos vendedores, ou deveríamos ser, já que é nossa responsabilidade aprender a nos relacionar com outras pessoas de forma a evitar antagonizá-las. Além disso, vamos lembrar que o mestre em vendas sabe que a pessoa mais importante no mundo é aquela a quem ele está tentando fazer uma venda e assume a responsabilidade de condicionar a mente do comprador mantendo a conversa dirigida para assuntos sobre os quais ele e o comprador possam concordar.

ALDERFER:

E quanto à atitude mental do vendedor? Ele consegue fazer a venda quando tem a mente negativa?

NAPOLEON HILL:

Não, porque uma atitude mental negativa é contagiosa; então, é captada por um comprador em potencial e devolvida ao vendedor na forma de um não.

ALDERFER:

Parece ser necessário, então, desenvolver uma técnica ou um sistema definido para manter a mente positiva o tempo todo quando se lida com outras pessoas. Conhece algum sistema dessa natureza que seja prático?

NAPOLEON HILL:

Bem, sim, há muitos sistemas, mas o maior mestre em vendas que já conheci faz questão de nunca entrar em nenhuma relação humana ou forma de negociação sem ter antes feito sua prece silenciosa para que toda palavra que disser seja enfeitada por um espírito de afeto por aqueles com quem ele negocia. E ele encerra essa oração com uma expressão de gratidão por ter alcançado o sucesso em sua negociação antes mesmo de começar a negociar. Procure onde quiser, mas nunca vai encontrar um método mais eficiente que esse para condicionar a mente a permanecer positiva.

ALDERFER:

Quais são alguns outros meios para condicionar a mente a se tornar positiva?

NAPOLEON HILL:

Talvez eu possa responder melhor a essa pergunta explicando meu sistema, que me serviu de forma tão eficiente que tive o privilégio de prestar serviço útil a homens e mulheres do mundo todo. É assim. Todas as noites, antes de me deitar, faço uma prece de gratidão por todas as bênçãos que recebi no passado e espero receber no futuro. A oração é esta: Oh, Divina Providência, tudo que espero me tornar eu devo à influência de outras pessoas; portanto, que eu nunca me envolva com nenhum ato ou palavra, exceto os que incentivam e enriquecem a mente daqueles com quem lido. Sou grato pela esperança, fé e coragem que me levaram além das adversidades do passado. Sou grato pelo espírito de benevolência que sinto em relação aos homens sob todas as circunstâncias. Sou grato pelo espírito de compaixão e perdão que expresso por aqueles que podem me ofender. Sou grato pela resistência de corpo e mente, com a qual enfrento as dificuldades que posso encontrar. Sou grato pelo espírito de persistência, com que tenho o privilégio de disciplinar meus pensamentos e minhas atitudes o tempo todo. Sou grato pela boa saúde física e mental. Sou grato por ter aprendido a transformar adversidade em vantagem sem violar os direitos alheios e muito profundamente grato por ter dominado o medo ao aprender a arte de transmutá-lo em coragem e compreensão. Que amanhã eu possa inspirar todos que encontrar a abraçar e expressar essa mesma atitude mental positiva em todas as suas relações humanas. Amém.

ALDERFER:

Maravilhoso. Não é difícil manter uma atitude mental positiva quando outras pessoas interferem em seus direitos e testam sua paciência?

NAPOLEON HILL:

Ninguém pode deixar você bravo sem seu consentimento e sua cooperação. Ninguém pode modificar sua atitude mental em relação a nada sem seu consentimento. Sua atitude mental pode ser sempre escolha sua, porque você tem controle completo sobre sua mente.

ALDERFER:

Qual é o próximo passo para a formação do hábito de uma atitude mental positiva?

NAPOLEON HILL:

É uma prática muito boa formar o hábito de dar uma boa gargalhada quando sentir a tentação de ficar zangado. Mas não se esqueça de sair de perto dos outros antes, para não ser ridicularizado. Rir muda a química da mente de negativa para positiva. Vale a pena se lembrar disso, seja você quem for ou qual for sua área de atuação. Conheço um homem que hoje tem mais de noventa anos e atribui sua longevidade ao hábito imutável de dar boas gargalhadas todos os dias. Pode parecer insignificante, mas experimente! Rir vai fazer uma grande diferença em sua atitude.

ALDERFER:

Qual é o próximo passo que você recomenda àqueles que desejam manter uma atitude mental positiva sempre?

NAPOLEON HILL:

Formar o hábito de concentrar a manter no "posso fazer" em relação a todos os problemas e objetivos. Lembre-se de que há sempre alguma coisa que se pode fazer e será útil, qualquer que seja o problema. Faça isso e vai descobrir que esse movimento leva a outro e mais outros movimentos que você pode fazer até alcançar o sucesso. Muitas pessoas concentram a mente na parte do "não posso fazer" de seus planos e problemas. Isto é, pensam em todos os obstáculos que podem surgir em seu caminho e não têm tempo para começar aquela parte do "posso fazer", que é possível.

ALDERFER:
Não é verdade que as condições da civilização moderna são tais que todos devem encontrar certa porção de circunstâncias desagradáveis ao longo da vida? Como manter uma atitude mental positiva quando tudo dá errado, quando não há dinheiro suficiente para pagar dívidas, quando a doença chega à família, os negócios vão mal, as guerras acontecem e amigos nos quais confiávamos se mostram indignos de confiança? Essas circunstâncias não dificultam a tarefa de manter a mente positiva?

NAPOLEON HILL:
Henry, tudo que vale a pena tem um preço que deve ser pago, e o Criador, que tudo sabe, providenciou que nossa força cresça a partir das dificuldades. Lembre-se de que toda circunstância que influencia sua vida, seja agradável ou desagradável, é uma lição de vida, e você pode usá-la a seu favor relacionando-se com ela com uma atitude mental positiva.

ALDERFER:
Qual é o próximo passo para manter uma atitude mental positiva?

NAPOLEON HILL:
Costumo olhar a vida como um processo contínuo de aprendizado pelas experiências, boas e ruins, por isso estou sempre alerta para a

sabedoria que ganhamos aos poucos, dia a dia, tanto com as experiências agradáveis quanto com as desagradáveis. Só não se esqueça que ninguém pode ser 100% bem-sucedido em todos os seus objetivos e propósitos e aprenda que fracassos e derrotas muitas vezes se mostram bênçãos disfarçadas. Isso é especialmente verdadeiro quando impedem alguém de fazer alguma coisa que teria sido desastrosa para a própria pessoa ou para terceiros.

ALDERFER:

Podemos nos beneficiar lembrando que, mais de 1.900 anos atrás, um profeta muito sábio esteve entre nós com a única missão de ensinar como nos ajudar ajudando os outros. Mas, apesar da qualidade de seus ensinamentos, ele não conseguiu 100% de aceitação. Então, quem somos nós para imaginar que vamos passar pela vida sem conhecer alguns fracassos e derrotas?

Qual é o próximo passo para a manutenção de uma atitude mental positiva?

NAPOLEON HILL:

Reforme o mundo de todas as maneiras, se não gosta de como ele é, mas comece por você, promovendo autoaperfeiçoamento que vai servir de exemplo para outras pessoas. Nunca houve método melhor para ensinar os outros a viver corretamente do que seguir você mesmo o hábito de viver corretamente.

ALDERFER:

Agora, pode nos dizer como mudamos uma experiência desagradável para que se torne um benefício definido pelo pensamento positivo?

NAPOLEON HILL:

O melhor exemplo em que posso pensar é o do medo da crítica. Talvez esse medo retarde o progresso das pessoas mais que qualquer outro, e isso apesar de críticas positivas poderem se tornar um grande benefício, se forem aceitas como tal. A maneira de se beneficiar com as críticas é aceitá-las como uma oportunidade para autoexame e para determinar quanto delas é justificado. Pode-se fazer descobertas surpreendentes sobre si mesmo por causa de críticas, se elas forem aceitas apenas como inspiração para o autoexame livre de viés, não como um motivo para ressentimento.

ALDERFER:

Não se deve diferenciar a crítica amigável da que não é amigável?

NAPOLEON HILL:

Não, a maior vantagem que se pode ter com a crítica é que ela pode inspirar autoanálise. Se a crítica é justificada, dá ao indivíduo uma oportunidade para melhorar, removendo sua causa. Se não é justificada, dá ao indivíduo uma oportunidade de reforçar a confiança nele mesmo e no próprio julgamento. Ressentir-se contra as críticas pode ser humano, mas é sábio aprender a lucrar contra elas, gostando ou não de recebê-las. Não acredito que alguém aprenda a gostar de verdade de ser criticado, mas ainda se pode tirar proveito da crítica.

ALDERFER:

Agora a pergunta de milhões. Quais são os benefícios mais relevantes de seguir o hábito de ter uma atitude mental positiva?

NAPOLEON HILL:

Bem, em primeiro lugar, vou falar sobre o credo de um homem que aprendeu a manter uma atitude mental positiva. O título é *A Happy Man's Creed*[1], e é assim: Encontrei felicidade ajudando outros a encontrá-la. Tenho boa saúde física porque vivo de maneira comedida em todas as coisas e mantenho a mente sintonizada em uma atitude mental positiva. Sou livre do medo em todas as suas formas. Não odeio homem nenhum, não invejo homem nenhum, mas amo toda a humanidade. Dedico-me a um trabalho de amor ao qual misturo lazer generoso; portanto, nunca me canso. Agradeço todos os dias não por mais riqueza, mas por mais sabedoria com a qual reconheço e uso de maneira apropriada a grande abundância de riquezas que tenho agora ao meu dispor. Não menciono nenhum nome, exceto para honrá-lo. Não peço favores, exceto o do privilégio de compartilhar minhas bênçãos com todos que estão prontos para recebê-las. Estou de bem com minha consciência. Sou livre da ganância e só cobiço coisas materiais que posso usar enquanto estou vivo, e meu maior desejo é que toda a humanidade possa aprender a aceitar a vida e usá-la como eu estou fazendo.

ALDERFER:

Esse é um credo maravilhoso para seguir, e a melhor parte dele é que todos que quiserem podem adotá-lo e usá-lo. Quais são alguns dos outros benefícios de adotar uma atitude mental positiva?

NAPOLEON HILL:

Uma atitude mental positiva dá ao indivíduo domínio completo sobre ele mesmo. Liberta da carência. Ajuda a libertar de doenças

1. O credo de um homem feliz [N.T.]

físicas e mentais. Liberta das superstições do passado que mantiveram a humanidade cativa por anos. Liberta do hábito comum de procurar ter alguma coisa de graça. Ajuda o indivíduo a pensar com precisão sobre todos os assuntos e inspira autoinspeção interior frequente, o que leva ao refinamento do caráter.

ALDERFER:
Os benefícios que mencionou são mais que suficientes para justificar o tempo e o esforço necessários para desenvolver o hábito de uma atitude mental positiva.

NAPOLEON HILL:
Sim, mas ainda não acabou. Uma atitude mental positiva dá ao indivíduo a coragem necessária para abordar os fatos da vida como um realista, não como um sonhador sem espírito prático. Ela desestimula a ganância e o desejo de tornar-se grande e poderoso à custa dos outros. Inspira a ajudar os outros a se ajudarem.

ALDERFER:
Certamente, você mencionou todos os benefícios que se pode ter com o hábito de uma atitude mental positiva, não?

NAPOLEON HILL:
Não, eu só comecei. Uma atitude mental positiva ajuda a reconhecer que ninguém tem privilégios exclusivos no acesso aos poderes da Inteligência Infinita. E isso liberta do medo e da ansiedade em relação ao que pode acontecer depois dessa mudança que chamamos de morte. Inspira o indivíduo a seguir o hábito de Fazer o Esforço Extra prestando mais e melhor serviço do que aquele que esperam dele. Liberta do desânimo mesmo diante das circunstân-

cias mais desafiadoras. Inspira a pensar naquilo que se quer fazer, não nos obstáculos que se pode ter que superar no caminho.

ALDERFER:

Parece que não há fim para os benefícios de que se pode desfrutar por meio do pensamento positivo. Ainda tem mais?

NAPOLEON HILL:

Ah, sim, muito mais do que o tempo me permite mencionar, mas aqui vão alguns dos benefícios mais importantes. Uma atitude mental positiva inspira o indivíduo a buscar a semente de uma vantagem equivalente em cada adversidade e em cada fracasso. Inspira a enfrentar a vida, sem nunca fugir do desagradável, nem abusar dos prazeres da vida. Ajuda a fazer a vida retribuir nos seus termos, em vez de se contentar com um emprego inferior. Ajuda a avaliar a pobreza como algo que não se tem que aceitar como mais que uma inspiração para o esforço maior.

ALDERFER:

É uma alegria comunicar que as cartas que estamos recebendo dos ouvintes deste programa expressam claramente as mesmas esperanças profundas de um mundo melhor que o Sr. Hill descreveu neste programa e nos anteriores. O mundo está faminto por liberdade do medo, e as pessoas estão prontas e dispostas para seguir a liderança de alguém que oferece meios práticos para a libertação do medo.

NAPOLEON HILL:

Essa liderança deve ser ativada no comércio e na indústria, nas profissões, na política e na religião, onde relativamente poucas pessoas influenciam e orientam os destinos das massas que contam com isso para um bom direcionamento. Onde quer que haja grande necessidade, também há grande oportunidade.

ALDERFER:

Obrigado, Napoleon Hill. Ouvintes, no próximo domingo teremos o último programa desta série, e nele o Sr. Hill vai revisar os princípios que tão bem apresentou nas semanas anteriores.

SABEDORIA PARA VIVER

A importância de ter uma atitude mental positiva:

1. Atitude mental é a única coisa sobre a qual todos receberam o completo e imutável privilégio do controle pessoal.
2. Sua atitude mental determina, em grande parte, se você encontra paz de espírito ou passa pela vida em estado de frustração e sofrimento.
3. Sua atitude mental é o principal fator que atrai pessoas em um espírito de amizade ou as repele, de acordo com sua atitude mental positiva ou negativa; você é a única pessoa que pode determinar qual vai ser.
4. Sua atitude mental é a única condição mental na qual você pode encontrar e reconhecer seu Outro Eu, o eu que não conhece limitações. É esse eu que permanece sempre de posse da mente e a direciona para um fim desejado predeterminado e para a solução de cada problema.
5. Atitude mental é um fator determinante em relação a que resultados se obtêm com a prece. Só é possível esperar resultados positivos das orações amparadas por uma atitude mental de profunda fé.

ADVERSIDADE E VANTAGEM

1. Por que algumas pessoas parecem ter sempre sucesso, enquanto outras parecem fracassar sempre? Talvez a resposta esteja em sua atitude básica com a vida e como essa atitude influencia o jeito como lidam com problemas e oportunidades. A mente positiva trabalha constantemente para criar autoestima e resultados positivos. A mente negativa cria e mantém baixa autoestima e resultados negativos.
2. Pense assim: derrota é um jeito de a vida construir nosso caráter e nossa resiliência. Ficamos mais fortes quando enfrentamos a derrota. Procure sempre o benefício equivalente; ele está sempre lá. Acolha essa semente de benefício equivalente, depois avance para o que quer que você considere sucesso.
3. Se você aceita a derrota como uma inspiração para tentar de novo com confiança e determinação renovadas, chegar ao sucesso será só uma questão de tempo. O segredo para isso é sua atitude mental positiva.

CAPÍTULO 13

A REGRA DE OURO

(TRAZENDO SUA PAZ DE ESPÍRITO)

*Não há derrota, exceto a interior.
Não existe barreira realmente
intransponível, exceto sua
inerente fraqueza de propósito.*

– Emerson

VISÃO GERAL

Este capítulo final vai permitir o uso lucrativo e construtivo de todo o conhecimento adquirido nas lições anteriores.

Hill discute:

- △ Por que só 2% das pessoas sabem o que querem e acreditam que vão conseguir.
- △ Uma característica que o ajuda a crescer e se tornar mais forte.
- △ Um poder dentro de você que torna o fracasso impossível.
- △ Um hábito que o ajuda a ir além da mediocridade.
- △ A única regra universal, que, se aplicada para o sucesso pessoal e profissional, vai lhe dar paz de espírito.

Juntamente com os doze capítulos anteriores, esta lição reforça todos os conceitos, os princípios e as estratégias para superar adversidade e alcançar paz de espírito. Apodere-se desses aprendizados com consistência e paixão, e você vai ter tudo de que precisa para conquistar seus objetivos e alcançar o sucesso dos seus sonhos.

PROGRAMA 13. REVISÃO

ALDERFER:

Boa tarde, amigos da rádio. Este é nosso último programa nessa série de rádio em Chicago. Para o benefício de todos que talvez não tenham ouvido o primeiro dos nossos programas, vamos rever alguns dos mais importantes princípios do sucesso abordados em nossas apresentações anteriores.

Com vocês, Napoleon Hill, que primeiro vai descrever o que pode ser o mais importante de todos os princípios do sucesso. Ele é importante porque é o ponto de partida de todas as realizações bem-sucedidas. Napoleon Hill.

NAPOLEON HILL:

O ponto de partida de todas as realizações bem-sucedidas é Definição de Objetivo, isto é, saber precisamente o que você quer, quanto disso quer e quando deseja conseguir.

ALDERFER:

Esse parece ser um princípio do sucesso muito simples, que toda pessoa pode seguir com bastante facilidade.

NAPOLEON HILL:

Sim, é um princípio simples, mas nem todo mundo entende sua importância. Você pode se surpreender ao saber que só 2% das pessoas sabem o que querem da vida, e estas são as bem-sucedidas. Elas são os nossos líderes no comércio, na indústria e nas profissões.

ALDERFER:

Esses 2% de pessoas bem-sucedidas por saberem o que querem têm mais capacidade ou mais educação do que os 98% que não sabem o que querem? Ou o que os ajuda a ter sucesso onde os outros fracassam?

NAPOLEON HILL:

Não, eles não têm necessariamente mais educação nem mais capacidade potencial que os que fracassam. Simplesmente sabem o que querem e sintonizam sua atitude mental para alcançar esse objetivo. Nesse ponto, eles sintonizam e entram em contato com um poder invisível que os ajuda a superar todos os obstáculos.

ALDERFER:

Tem outro princípio do sucesso que ajude as pessoas bem-sucedidas a superar os obstáculos que aparecem em seu caminho?

NAPOLEON HILL:

Sim, pessoas que sabem o que querem e estão determinadas a não aceitar da vida menos que isso reconhecem automaticamente e aceitam outro poderoso princípio do sucesso conhecido como Fé Aplicada. Com a ajuda da Fé Aplicada, a pessoa bem-sucedida não só sabe o que quer, mas também acredita em sua habilidade para conseguir, acredita tão intensamente que consegue se ver de posse do que quer que deseje, antes mesmo de ir atrás disso.

ALDERFER:

Em outras palavras, a pessoa que faz uso de Fé Aplicada não se vende por pouco, mas acredita naquele ditado mundialmente famoso: "o que a mente pode conceber e acreditar, a mente pode alcançar".

NAPOLEON HILL:

Essa é a ideia, exatamente. Quando Thomas Edison começou sua investigação em busca dos meios para criar uma lâmpada elétrica, usou os dois mais poderosos princípios do sucesso. Sabia o que queria e acreditava que ia conseguir, embora sua fé fosse duramente testada ao longo de milhares de fracassos.

ALDERFER:

Não é verdade que nossa fé é testada frequentemente até chegarmos ao ponto em que ela é tão forte que não precisa de mais testes? E não é verdade que a maioria das pessoas desiste quando sua fé está sendo submetida a esse período de testes?

NAPOLEON HILL:

Sim, infelizmente, muitas pessoas não passam do teste da fé, mas as que passam são os líderes em todas as áreas. São os construtores nas áreas de comércio e indústria e o braço forte da própria civilização.

ALDERFER:

O que sustenta uma pessoa na hora da derrota, quando tudo parece ir contra ela? Quando lógica, razão e experiências passadas dizem claramente que ela não pode vencer?

NAPOLEON HILL:

Só posso responder a essa pergunta apontando que toda a nossa vida, do nascimento até a morte, é recheada de problemas que pedem esforço, e esforço produz força e crescimento. O Criador nunca dá ao indivíduo problemas sem os meios para enfrentá-los e resolvê-los. Para responder diretamente à sua pergunta, Fé Aplicada é o poder milagroso que nos sustenta na hora da derrota e permite transformar adversidade em vantagem.

ALDERFER:

Em outras palavras, o Criador nos deu problemas para serem solucionados a fim de podermos nos fortalecer pelo esforço necessário à sua solução, e Ele nos deu a capacidade da fé para sermos fortes o suficiente para sobrevivermos e vencermos todas as nossas dificuldades. Se...

NAPOLEON HILL:

Sim, se nos apoderarmos da mente e a dirigirmos para fins que escolhermos. Temos que reconhecer esse grande "se" e fazer alguma coisa sobre ele. Felizmente, a iniciativa foi dada a cada um de nós, e com esse privilégio também vem a responsabilidade de exercitá-lo. Se enfrentamos o desafio com sucesso e exercitamos o privilégio da iniciativa para dirigir a mente para os fins que escolhermos, descobrimos que não há limites para o que podemos fazer, exceto aqueles que criamos em nossa cabeça.

ALDERFER:

Não é bem difícil convencer uma pessoa que fracassou de que ela poderia ter tido sucesso com muito menos esforço do que dedicou ao fracasso, se tivesse agido com uma atitude mental positiva baseada em Fé Aplicada?

NAPOLEON HILL:

Sim, uma das características mais estranhas do ser humano é que procuram as causas de seus fracassos em todos os lugares, menos no lugar certo, e fazem a mesma coisa com o poder que tornaria o fracasso impossível: o poder da própria mente.

ALDERFER:

Como se pode reconhecer e usar o poder da Fé Aplicada? Deve haver nisso algum princípio do sucesso que possamos descrever.

NAPOLEON HILL:

Sim, há um princípio do sucesso muito importante nisso, que, se for entendido e seguido, vai levar à descoberta do poder da Fé Aplicada. Esse princípio é o hábito de Fazer o Esforço Extra, que significa prestar mais e melhor serviço do que é esperado de nós, e prestá-lo com uma atitude mental positiva, agradável.

ALDERFER:

A maioria das pessoas não acredita que já está fazendo mais do que o serviço pelo qual recebe?

NAPOLEON HILL:

Sim, talvez a maioria das pessoas acredite nisso, e quero chamar sua atenção para o motivo de a maioria das pessoas não ser bem-sucedida. É fato estabelecido que ninguém jamais vai além da mediocridade sem seguir o hábito de Fazer o Esforço Extra, e o tempo todo, não só de vez em quando.

ALDERFER:

Não existem algumas organizações que desestimulam o hábito de Fazer o Esforço Extra? Na verdade, elas não o proíbem?

NAPOLEON HILL:

Infelizmente, para alguns isso é verdade, mas não muda o fato de que os grandes sucessos da vida se baseiam no hábito de Fazer o Esforço Extra. Se Henry Ford não tivesse feito o esforço extra, não haveria automóvel Ford nem império industrial Ford, que emprega direta ou indiretamente muitos milhões de pessoas, algumas das quais agora desencorajam o hábito de Fazer o Esforço Extra. Se Thomas Edison não tivesse feito o esforço extra quando trabalhava na lâmpada elétrica incandescente, não haveria equipamento elétrico nem grandes companhias de energia elétrica e manufatura de equipamentos, que hoje empregam milhões de pessoas. Pense nisso, e vai ter uma ideia da importância do hábito de Fazer o Esforço Extra.

ALDERFER:

Isso nos leva ao quarto dos mais importantes princípios do sucesso, e acredito que ele está intimamente ligado aos outros três que acabou de discutir.

NAPOLEON HILL:

Você se refere ao Princípio do MasterMind, por cuja aplicação podemos fazer uso da educação, da experiência e dos serviços de outras pessoas na realização de nossos objetivos na vida. Nenhum grande sucesso é possível exceto pelos esforços combinados de muitas pessoas, e essa combinação, essa união de muitas mentes em espírito de coordenação amistosa, é conhecida como o Princípio do MasterMind.

ALDERFER:

Por exemplo, Thomas Edison nunca poderia ter se tornado o maior inventor de todos os tempos se não tivesse usado a educação e a experiência de outras pessoas.

NAPOLEON HILL:

Isso mesmo. O Sr. Edison escolheu um ofício que tornou necessário, para ele, usar a maioria das ciências, mas ele mesmo não entendia nenhuma delas. Ele supriu essa deficiência associando-se a homens que entendiam as ciências. E testemunhamos esse milagre com um homem que teve apenas três meses de escolaridade formal, mas superou esse prejuízo e tornou-se o maior inventor do mundo. Henry Ford também teve uma escolaridade limitada. Ele supriu essa deficiência cercando-se de homens que podiam fazer todas as coisas que ele queria, mas não podia executar sozinho. O maior bem do Sr. Ford era sua grande capacidade de saber o que queria e a persistência em seguir seu propósito através do fracasso até encontrar o sucesso.

ALDERFER:

Não foi Henry Ford quem disse: “Seguir o caminho de menor resistência é o que entorta todos os rios e alguns homens”?

NAPOLEON HILL:

Sim, eu o ouvi dizer isso. E ele fez outra declaração que todos nós deveríamos lembrar. Há muitos anos, ele foi testemunha em um processo de calúnia que moveu contra um jornal que o chamou de burro. Os advogados do jornal o pressionavam formulando perguntas acadêmicas que ele não sabia responder, a fim de conseguirem provar que ele era um homem ignorante. Finalmente, o

Sr. Ford se cansou do constrangimento. Ao responder a uma pergunta particularmente desagradável, ele se inclinou para a frente, apontou um dedo para o advogado e disse: "Se eu quisesse responder a essa pergunta boba que acabou de fazer, ou a qualquer pergunta cuja resposta pudesse ser necessária na condução dos meus negócios, só teria que apertar um botão e seria atendido por homens que me dariam a resposta imediatamente. Agora, pode me explicar por que eu deveria entupir minha cabeça tentando responder perguntas, quando tenho à minha volta homens de formação superior que podem responder todas elas por mim?".

ALDERFER:
Suponho que isso pôs o advogado no lugar dele, não?

NAPOLEON HILL:
Sim, e fez mais que isso. Aquilo que me deu a ideia que se tornou um dos meus livros sobre sucesso que hoje inspiram pessoas no mundo todo a usar o Princípio do MasterMind, a que o Sr. Ford se referiu. Estudei Henry Ford com muita atenção por mais de vinte anos, e essa observação me mostrou que seu imenso sucesso era resultado, principalmente, da apresentação de dois princípios do sucesso que apresentamos neste programa – Definição de Objetivo e MasterMind.

ALDERFER:
Agora que estamos nos aproximando de mais uma comemoração do nosso Dia da Independência aqui nos Estados Unidos, não é bom lembrarmos que foi a aplicação do Princípio do MasterMind que nos deu a Declaração de Independência, com sua abrangente influência na civilização em todo o mundo?

NAPOLEON HILL:

Sim, os 56 homens corajosos que assinaram a Declaração de Independência usaram o Princípio do MasterMind, definitivamente. Além disso, todos os homens que assinaram esse documento histórico sabiam bem que estavam arriscando vida e fortuna com aquela atitude, porque, se a Revolução Americana fracassasse, todos os signatários da Declaração seriam enforcados como traidores, provavelmente.

ALDERFER:

À luz do que aconteceu nos últimos anos, com homens como Alger Hiss ocupando posições de destaque em nosso governo e divulgando nossos segredos para inimigos externos, não se pode deixar de pensar se ainda existem patriotas que arriscariam a vida pela segurança de seu país, como fizeram os signatários da Declaração de Independência.

NAPOLEON HILL:

Sim, acredito que temos cidadãos tão corajosos e honestos quanto aqueles que assinaram a Declaração de Independência, e eles se levantarão se e quando formos novamente acometidos por uma emergência nacional, como aquela que existiu em 1776. Sempre ouvimos falar nos poucos que são desonestos porque seus atos repreensíveis produzem primeiras páginas de jornais, enquanto os honestos são o que se espera. Não ouvimos falar muito deles, exceto nos obituários, depois que morrem.

ALDERFER:

Essa é uma razão muito boa para este programa citar os que estão ajudando a fazer deste um mundo melhor pela prestação de serviço útil. O que nos leva a outro princípio do sucesso: o da Visão Criativa, ou Imaginação.

NAPOLEON HILL:
Homens e mulheres com visão criativa sempre foram os precursores do progresso humano em todos os campos. No momento, precisamos de pessoas com visão criativa para nos dar grandes coisas que farão deste um mundo melhor onde viver. Por exemplo, precisamos de notícias nos jornais que voltem a imaginação das crianças para a conduta decente, não para o crime. Precisamos de professores que usem a imaginação para ensinar os alunos a ler e, acima de tudo, a pensar. Precisamos de alguém com uma imaginação ativa para nos dar um novo código de conduta para os motoristas de automóveis, de forma que sejam corteses uns com os outros nas ruas como são em suas casas.

ALDERFER:
Sim, entendo o que quer dizer. Mais importante, precisamos de proteção contra armas de fogos, aviões a jato carregados de bombas atômicas e loucos que parecem dispostos a destruir todos nós com uma descarga. Aqui está, então, a necessidade de visão criativa que desafie as mentes mais sábias que a civilização tem a oferecer.

NAPOLEON HILL:
Sim, a civilização enfrenta hoje seu maior desafio desde os tempos do homem das cavernas, com suas ferramentas de pedra afiada e sua vontade violenta de matar sem causa ou motivo.

ALDERFER:

Com sua imaginação aguçada, poderia vislumbrar meios práticos pelos quais o homem possa, mais uma vez, recuperar seu lugar na civilização para o qual o Criador o criou? Pode antever um meio prático de responder ao desafio da bomba atômica e da bomba de hidrogênio nas mãos de homens que parecem determinados a usar esses aparatos destrutivos contra o mundo?

NAPOLEON HILL:

Henry, não é necessário ter uma imaginação muito aguçada para reconhecer que só há um jeito de enfrentar esse desafio recente. A resposta não está em resistir à força armada com força armada. Não está em uma corrida armamentista planejada para dar superioridade a uma nação sobre outra. Não está no ar acima de nós, nem no mar abaixo de nós. Não está no campo de batalha, porque já foi provado muitas e muitas vezes que esse método de resolver diferenças entre os homens só resulta no derrotado de hoje se tornando o vitorioso de amanhã.

ALDERFER:

Evidentemente, pelo que acabou de dizer, sua imaginação o leva a concluir que a solução para diferenças de crenças e motivos entre os homens não pode ser encontrada de maneira permanente por meio da guerra. Qual é a solução, então, na sua opinião?

NAPOLEON HILL:

Escutem com atenção, por favor, porque todos temos uma responsabilidade que devemos dividir, independentemente de quem você seja ou de quais sejam suas crenças. A segurança da humanidade, a sobrevivência do que a civilização conquistou depende da aplicação do Princípio do MasterMind, no qual começaremos a pensar, falar e viver nos termos do Sermão da Montanha. Cada um de nós pode começar exatamente onde está relacionando-se com os que estão mais próximos com base na Regra de Ouro. E isso significa tolerância com a visão dos outros, em muitos casos, não coerção a fim de mudar essa visão.

ALDERFER:
Acredita sinceramente que a salvação da civilização é simples assim? Acredita que todos os indivíduos algum dia terão um motivo suficientemente forte para induzi-los a viver pela Regra de Ouro não só quando é conveniente, como a maioria das pessoas está fazendo e sempre fez?

NAPOLEON HILL:
Vou responder assim: em todos os lugares desta nação, as pessoas estão sendo preparadas e treinadas na arte da defesa, para quando as bombas começarem a cair sobre nosso país. E talvez não exista uma pessoa inteligente que não acredite que vai viver para ver o dia quando cidades inteiras serão dizimadas em questões de segundos, com milhares de pessoas morrendo como resultado de uma única bomba atômica. Agora me diga, não acha que isso é um motivo suficiente para fazer as pessoas começarem a procurar além dos poderes do homem pela salvação contra essa forma de assassinato em massa?

ALDERFER:
Talvez eu seja realista demais, e você seja idealista demais, para concordarmos sobre um tema tão importante, mas vamos colocar assim: não acredita que a maioria das pessoas vai começar a se voltar para um poder superior ao homem só depois de as bombas

começarem a cair? Você sabe, é claro, que o Japão foi avisado de que suas cidades seriam varridas do mapa a menos que se rendesse imediatamente, mas só deu atenção ao aviso depois de duas de suas cidades serem atingidas pela bomba atômica.

NAPOLEON HILL:

Entendo o que diz, e em muitos casos eu concordaria com isso, mas nesse caso não concordo com você. Porque é verdade que Deus usa de um jeito misterioso o poder que criou o homem e o colocou nesta Terra por um propósito que não vai permitir que ele cometa suicídio por falta de conhecimento sobre os recém-descobertos aparatos de destruição.

ALDERFER:

Em outras palavras, sua imaginação lhe diz que a bomba atômica e a bomba de hidrogênio podem se tornar bênçãos, em vez de maldições? Esse é seu raciocínio?

NAPOLEON HILL:

Não só meu raciocínio, mas também minha Fé Aplicada. Eu me formei depois de ter passado mais de quarenta anos testando minha fé pessoal e estou agora em posição para dizer que a informação que recebi de dentro, por meio de minha capacidade da fé, é mais confiável que aquela que recebo dos meus poderes racionais. E não só acredito, mas também sei que o mundo em que vivemos hoje vai encontrar um jeito de sobreviver aos aparatos destrutivos inventados pelo homem.

ALDERFER:

Reconheço que, se todos tiverem a mesma capacidade para a fé que você expressa, não teríamos problemas com a bomba atômica. Na verdade, não teríamos problemas de nenhum tipo que não pudéssemos resolver pela cooperação. Mas estou olhando para o mundo, e para a humanidade onde estamos hoje, neste exato momento, e o cenário não é tão tranquilizador para mim quanto para você.

NAPOLEON HILL:

Talvez, se tivesse sido abençoado com minhas origens e meus inúmeros testes de fé, você visse o mundo como eu o vejo. É claro, você sabe que o filósofo antevê o futuro examinando o que aconteceu no passado. Olhando para a evolução do homem, podemos ver que o Criador onisciente providenciou um sistema que dá à humanidade um líder maior quando a civilização é ameaçada por emergências incomuns. Muitas vezes esse líder surge como um desconhecido, como o imortal Lincoln ou George Washington. E tenho fé de que a resposta para nossa atual emergência virá quando estivermos prontos para ela, como sempre aconteceu no passado.

ALDERFER:

Aparentemente, você acredita que a pessoa ou as pessoas que vão nos dar um remédio para os medos prevalentes de total destruição pela bomba atômica estão vivas e treinando para essa tarefa.

NAPOLEON HILL:

Sim, acredito nisso e não teria que exigir muito de minha imaginação para dizer que sei que o plano e a pessoa que vão inspirar o mundo a aceitá-lo e usá-lo já existem agora.

ALDERFER:

Acredita que a pessoa que está destinada a nos dar um remédio para a bomba atômica reconhece essa missão agora?

NAPOLEON HILL:

Talvez não. Mas isso não tem importância, porque vai reconhecer quando o povo estiver pronto. Duvido que Abraham Lincoln reconhecesse a grande responsabilidade diante dele quando era testado por uma sequência de fracassos, antes de se tornar presidente. E posso falar com autoridade quando lhe digo que não reconheci o papel que estava destinado a desempenhar para ajudar homens e mulheres a se encontrarem por intermédio do sucesso pessoal quando eu mesmo enfrentava um fracasso atrás do outro. Tenho notado que o Criador não planejou que os indivíduos fossem notificados com antecedência quando escolhidos a prestar um grande serviço em tempos de grandes emergências.

ALDERFER:

Acho que podemos resumir o que está dizendo afirmando que defende fortemente que homens e mulheres voltem a viver pela religião, em vez de apenas pertencer a uma igreja e professar sua crença no Criador.

NAPOLEON HILL:

Eu não teria declarado minha crença de maneira mais enxuta e clara, Henry. Acredito sinceramente que o mundo está prestes a passar por uma grande e dramática mudança espiritual na qual cada um de nós vai sentir que é uma grande bênção, não só um dever, tornar-se guardião de seu irmão. Agora, como sempre, antes que essa mudança seja definitiva, muitas pessoas podem ser forçadas a derramar lágrimas de sangue, mas suas dificuldades e lutas darão a elas a força e a sabedoria para reconhecer a diferença entre verdade e falsidade. Durante mais de trinta anos, desde a publicação da minha *Golden Rule Magazine*, logo após a Primeira Guerra Mundial, tenho advogado a Regra de Ouro como única fundação sólida sobre a qual obter sucesso nas relações comerciais e profissionais. E observei que os indivíduos que adotaram essa regra desfrutavam de sucesso relevante.

ALDERFER:

Uma coisa sobre a qual podemos todos concordar é que estamos vivendo em um mundo bem doente que precisa muito de um médico, e, se não temos certeza de que a resposta para nosso problema está na adoção e no uso da Regra de Ouro, sabemos, mesmo assim, que a resposta não consiste em assassinato em massa por guerra, porque vimos esse remédio falhar todas as vezes em que foi usado.

NAPOLEON HILL:

Alguns anos atrás, vi um experimento feito em Paris, Missouri, que me convenceu de que o Sermão da Montanha era a resposta para todos os nossos problemas. Vi um grupo de homens e mulheres se unirem e formarem uma organização que funcionava com base em inspiração e cooperação mútua. Em um ano, a influência desse grupo tinha se espalhado para no mínimo uma dezena de cidades e vilarejos no entorno, onde as pessoas começaram a experimentar prosperidade como nunca conheceram antes. A base das atividades do grupo eram os princípios do sucesso que temos apresentado nesses programas.

ALDERFER:

Devo acrescentar que essas pessoas em Paris, Missouri, ainda usam os princípios do sucesso de maneira tão eficiente que muitas delas vivem o sucesso como nunca sonharam ser possível. Conheci pessoalmente algumas e ouvi suas histórias em primeira mão, e elas se dedicaram novamente à aplicação dos princípios ensinados pelo Nazareno no Sermão da Montanha. Faça aos outros como se você fosse os outros. E não faça aos outros, e faça com abundância, antes que eles façam a você, como algumas pessoas parecem acreditar que a Regra de Ouro deveria ser aplicada.

Obrigado, Napoleon Hill, por suas discussões tão interessantes e inspiradoras sobre os princípios do sucesso aqui em Chicago. Infelizmente, nossa série de rádio se encerra com o programa de hoje. Agradeço também à nossa grande e dedicada audiência de ouvintes.

NAPOLEON HILL:

Obrigado, Henry, e obrigado, ouvintes. Espero e confio que vocês apliquem os princípios do sucesso que apresentamos durante essas treze semanas, de forma a se tornarem realmente bem-sucedidos e felizes e desfrutarem de paz de espírito.

SABEDORIA PARA VIVER

1. A Regra de Ouro significa, resumidamente, fazer aos outros o que gostaria que eles fizessem a você, se as posições fossem invertidas.
2. Entenda essa regra e você vai sentir que é impossível prejudicar outra pessoa por pensamento ou ato sem prejudicar a si mesmo.
3. A filosofia da Regra de Ouro, quando corretamente entendida e aplicada, não só torna a desonestidade impossível, como também impede todas as outras qualidades destrutivas, como egoísmo, ganância, inveja, intolerância, ódio e malícia. Não se é honesto apenas pelo desejo de ser honesto com os outros, mas também pelo desejo de ser justo com você mesmo.

ADVERSIDADE E VANTAGEM

1. É fato que cada indivíduo é o criador do próprio destino; e que os pensamentos e atos do indivíduo são as ferramentas com que se faz essa construção. Toda atitude e todo pensamento que você projeta modificam sua personalidade em exata conformidade com a natureza do ato ou pensamento. Código de conduta é a soma dos pensamentos e das ações pelos quais se vive.
2. Napoleon Hill fala sobre esse código de conduta em *A lei do triunfo*, de acordo com a qual ele viveu. Aplicando esse código à própria vida todos os dias, você estará no caminho certo para paz de espírito, abundância e sucesso em sua vida pessoal e profissional.

O CÓDIGO DE ÉTICA DE NAPOLEON HILL

1. Acredito na Regra de Ouro como base de toda conduta humana; portanto, nunca farei a outra pessoa o que não desejaria que fosse feito a mim, se nossas posições fossem invertidas.
2. Vou ser honesto, até nos menores detalhes, em todas as minhas transações com outras pessoas, não só por meu desejo de ser justo com elas, mas também por meu desejo de gravar a ideia de honestidade em minha mente subconsciente, entrelaçando assim essa qualidade essencial em minha personalidade.
3. Vou perdoar aqueles que foram injustos comigo, sem pensar se merecem ou não, porque entendo a lei pela qual o perdão dos outros fortalece minha personalidade e remove os efeitos de minhas transgressões em minha mente subconsciente.
4. Vou ser justo e generoso com os outros sempre, embora saiba que esses atos passarão despercebidos e sem recompensa em termos de recompensa comum, porque entendo que a personalidade não é mais que a soma dos atos e feitos da pessoa.
5. Todo tempo que tiver para dedicar à descoberta e exposição das fraquezas e dos defeitos alheios, dedicarei de maneira mais lucrativa a descobrir e corrigir os meus.
6. Não difamarei ninguém, por mais que possa acreditar que a pessoa mereça, porque não quero plantar nenhuma sugestão destrutiva em minha mente subconsciente.
7. Reconheço o poder do pensamento como um braço que penetra meu cérebro a partir do oceano universal da vida;

portanto, não mandarei pensamentos destrutivos para flutuar nesse oceano, para que não poluam outras mentes.

8. Vou dominar a tendência humana comum para ódio, inveja, egoísmo, ciúme, malícia, pessimismo, dúvida e medo; porque acredito que essas são as sementes das quais o mundo colhe a maioria de seus problemas.
9. Quando minha mente não está ocupada com pensamentos que tendem para a realização de meu objetivo principal definido na vida, eu a manterei voluntariamente ocupada com pensamentos de coragem, autoconfiança e boa vontade em relação aos outros, e fé, bondade, lealdade e amor pela verdade e pela justiça, porque acredito que essas são as sementes das quais o mundo real colhe seu crescimento progressivo.
10. Entendo que uma mera crença passiva na solidez da filosofia da Regra de Ouro não tem nenhum valor, para mim ou para os outros; portanto, vou pôr em prática ativamente essa regra universal para o bem em todas as minhas transações com os outros.
11. Entendo que minha personalidade é desenvolvida a partir de meus atos e pensamentos; portanto, vou guardar com carinho tudo que contribuir para seu desenvolvimento.
12. Percebendo que a felicidade duradoura só chega quando ajudamos outras pessoas a encontrá-la, que nenhum ato de bondade fica sem sua recompensa, embora possa nunca ser pago diretamente, vou fazer o melhor possível para auxiliar os outros quando e onde a oportunidade aparecer. O tempo para praticar a filosofia da Regra de Ouro chegou. Nas relações comerciais e sociais, aquele que negligencia ou se recusa a usar a Regra de Ouro como base de suas relações certamente encontrará o fracasso.

APÊNDICE

ORADOR NÃO IDENTIFICADO:

Esta é a primeira reunião de outono do Chicago Dental Research Club no Germania Club. A data é quarta-feira, 24 de setembro de 1952. O palestrante hoje é Napoleon Hill, e o tema é Viver Melhor.

Temos conosco hoje um membro de nossa profissão que tem muito em comum com o palestrante do dia. O fato de ele conhecer tão bem o palestrante me faz pensar que é hora de apresentar a vocês o Dr. Straub, que vai apresentar nosso palestrante.

DR. STRAUB:

Obrigado. Tenho tido o privilégio e o extremo prazer, há um ano, um ano e meio, de conhecer realmente bem nosso palestrante. Há vários anos, quando fiz um curso universitário pela primeira vez e li na primeira página do manual prático referências a *Quem pensa enriquece*, de Napoleon Hill, jamais pensei que conheceria o homem, muito menos comeria com ele, o receberia em meu escritório e, na noite passada, o receberia em minha casa. Mas quando li *Quem pensa enriquece* pela primeira vez, pensei, como todo mundo pensa: que tipo de homem escreve essas coisas? Algumas são tão fabulosas que é difícil acreditar, e você começa imediatamente a ter a sensação de que gostaria de conhecer esse homem e saber como ele pensa, como tem essas ideias para compor um livro como *Quem pensa enriquece.*

No último mês de novembro, o Dr. Hancock me ligou por volta das quatro horas da tarde e disse: "Napoleon Hill está em St. Louis hoje à noite". E foi isso. St. Louis fica a 250 quilômetros de onde estou. Eu disse: "Everett, você vai?". Ele respondeu: "Sim". E anunciei: "Estarei lá. A que horas vai sair?". Ele me deu uns cinquenta minutos para percorrer 120 quilômetros até seu escritório em Salem, e naquela noite ouvimos Napoleon Hill em St. Louis. Fizemos o curso que ele deu em St. Louis. Everett gravou tudo. Ouvimos a gravação uma dúzia de vezes, acho. Por meio dos esforços do Dr. Hancock, Dr. Hill foi convencido a vir a Salem e dar um curso. Então, fui de carro a Salem uma vez por semana por uns três meses, mais ou menos, e fiz o curso duas vezes. Por acidente ou intencionalmente, ainda não sei exatamente qual, temos uma pequena fábrica em Fairfield que enfrentava uma série de dificuldades com os funcionários. Perguntei ao Dr. Hill sobre isso e apresentei a ele alguns homens dessa fábrica. Neste mês, Dr. Hill está em Fairfield tentando resolver algumas dessas dificuldades na fábrica, e acho que, antes de isso acabar, vocês vão ouvir falar muito sobre a Sheppard Manufacturing Company em Fairfield, porque acredito que eles terão uma boa relação pessoal antes do fim disso.

Com relação ao trabalho do Dr. Hill com a odontologia, o pai dele era dentista, e ele conhece bem muitos problemas entre dentistas e pacientes. Ele esteve no meu consultório. Contei a ele muitos dos meus problemas, e nós os discutimos. Sei que ele tem muito a dar a vocês, mas o Dr. Hill se aprofunda em tudo quando começa.

Então, quero que todos me deem a honra e o privilégio de aguentar firme nos primeiros trinta minutos, porque posso prometer a vocês uma palestra empolgante. Pousamos na cidade ontem à noite, mas hoje, com o Dr. Hill, vou decolar muito mais alto que ontem à noite.

Sem mais apresentações, quero que recebam Napoleon Hill, autor de *Quem pensa enriquece, Dinamite mental, As leis do triunfo* e vários outros livros que não vou trazer aqui, e hoje de manhã ele nos mostrou o manuscrito de um novo livro, *How to Condition a Dental Patient's Mind for Dentistry*. Dr. Hill.

NAPOLEON HILL:
Sr. Presidente, cavalheiros. Esse grupo de homens sentado em volta desta mesa com quem tenho esta oportunidade de falar com tanta intimidade me faz lembrar uma história que ouvi certa vez sobre o renomado evangelista Sam Jones. Um dia, um paroquiano o procurou e disse: "Padre, ouço o senhor falando muito sobre Deus. Importa-se se eu fizer algumas perguntas sobre Deus?". Sam disse: "Ora, não, filho. Vá em frente. Pergunte o que quiser. Acho que sei muitas coisas sobre Deus." Ele perguntou: "Bem, padre, quem fez Deus?". Sam respondeu: "Escute bem, filho. Tenho a resposta para isso, mas o problema é que você não tem nada com que contribuir."

O motivo para eu ter esperado com tanta ansiedade por esta palestra é que, se eu não achasse aqui um grupo de homens que tivessem alguma coisa com que contribuir, francamente, eu não saberia onde procurá-los. Não dou muita importância a plateias mistas compostas por donas de casa, homens e mulheres, empresários e profissionais, esse tipo de coisa, porque você tem que generalizar tanto o que diz que mal consegue comunicar alguma coisa. É como um quimono moderno. Ele se abre à sua volta e não revela nada.

Vou falar principalmente sobre o tema da atitude mental, porque acho que essa é a coisa mais importante do mundo. Para começar, só existe uma coisa sobre a qual qualquer pessoa tem total controle, completo, inalterável e inquestionável controle. Não é sua esposa, nem sua conta bancária, nem sua profissão, e certamente não são seus pacientes. Mas há uma coisa que você pode controlar 100%, e esse privilégio é o de controlar sua atitude mental e fazer dela o que quiser que seja. Você pode fazê-la positiva ou pode fazê-la negativa. E sei que o Criador, ou quem quer que tenha feito o homem, ao dar a ele controle sobre uma única coisa, quis que essa fosse a coisa mais importante do mundo, e defendo que é a coisa mais importante porque observei que aqueles que exercitam esse grande privilégio e projetam a mente para objetivos definidos são os homens que alcançam o sucesso, e as pessoas que não o exercitam são os homens que caem em derrota.

Ainda não conheci nenhuma pessoa que tenha exercido o pleno privilégio de usar a própria mente e tornar sua atitude mental positiva sem ter alcançado o sucesso em tudo que começou a fazer; e vou dar muitos exemplos hoje, muitos deles conhecidos por vocês, para mostrar que o homem que se destaca, a coisa que o faz se destacar, é ser capaz de assumir o controle da própria mente e tornar essa mente positiva, em vez de negativa.

Quero dar a vocês um exemplo que creio que vai enriquecê-los, de uma atitude mental positiva por parte da maior mulher que já conheci. Houve muitas mulheres em minha vida, e posso assegurar a vocês, muitas. Eu me casei com quatro. Não me entenda mal. Muitas dessas mulheres que conheci foram minhas alunas. Sei muito sobre mulheres, acho. É claro, todos os homens pensam isso. Mas houve uma mulher em minha vida que se destacou entre todas as outras. Ela foi a primeira a entrar em minha vida, apareceu quando eu tinha nove anos. Era minha madrasta. E quando meu pai a apresentou a mim, ela fez um discurso que reverberou pelo mundo e já influenciou mais de 65 milhões de pessoas, influência positiva, espero, e vai beneficiar milhões que ainda nem nasceram. Um discurso breve.

Meu pai a apresentou aos parentes que estavam reunidos naquela primeira noite em que ela esteve em nossa casa, e finalmente chegou minha vez. Eu estava em pé em um canto com o queixo encostado no peito, fazendo cara de durão e tentando odiar aquela mulher horrível que minhas tias disseram estar ali para ocupar o lugar de minha mãe. Decidi que não ia gostar dela. Meu pai finalmente se aproximou de mim e disse: "E, Martha, aqui no canto está seu filho, Napoleon, o menino mais levado de Wise County". Endireitei as costas e tentei parecer e me sentir como um menino terrível. Ela se aproximou, segurou meu queixo, levantou minha cabeça e olhou dentro dos meus olhos, depois olhou para o meu pai e fez este famoso discurso. Ela disse: "Está enganado sobre esse menino. Tão enganado quanto se pode estar. Ele não é o menino mais levado de Wise County. É só o menino mais esperto de Wise County e ainda não descobriu o que fazer com sua esperteza". E naquele momento, cavalheiros, eu soube que minha madrasta e eu íamos nos dar muito bem. Eu tinha a intenção de me tornar o segundo Jesse James, mas com uma pontaria melhor e mais tiros disparados, até que conheci minha madrasta, e sua atitude mental positiva entrou no meu sangue.

Cerca de duas semanas depois de meu pai e ela se casarem, ela estava tomando café certa manhã e derrubou e quebrou a dentadura; a parte superior. Eu nunca tinha visto uma dentadura até aquele momento. Não sabia que existia uma coisa como aquela. É claro, aprendi muito sobre o assunto desde então. Meu pai pegou os pedaços, os remontou na mão e olhou para eles por um momento. Depois disse: "Martha, acho que consigo fazer um conjunto de dentes". E pensei: *Que mulher; meu velho fazer um conjunto de dentes! Ora, ele consegue pôr ferradura em um cavalo*, eu tinha visto isso, mas sabia que ele nunca conseguiria fazer um conjunto de dentes.

Mais ou menos um mês depois disso, cheguei da escola e, quando entrei no quintal de casa, senti um cheiro que não consegui identificar. Nunca tinha sentido nenhum odor parecido; era pior que o de um gambá, e, quando entrei em casa, vi uma chaleirinha esquisita sobre o fogão aceso. Perguntei à minha madrasta o que era aquilo, e ela respondeu: "É um conjunto de dentes. Encomendamos um vulcanizador. Mandamos trazer gesso de Paris. Conseguimos alguns dentes, e seu pai tirou um molde da minha boca, e ele agora tem os dentes cozinhando ali dentro". Pensei: *Que mulher! Que mulher!*

Em pouco tempo eles tiraram a chaleira do fogo e foram resfriá-la no rio, para poderem abri-la, e, quando aquele pedaço de borracha e gesso de Paris saiu de lá, era tão grande que pensei, *Meu Deus, nunca vão conseguir enfiar isso na boca da minha madrasta*. Eles apararam o gesso, e o excesso de borracha foi cortado com a parte mais fina de uma grosa de cavalo. Não sei se vocês sabem o que é uma grosa de cavalo. É uma lixa com a qual se remove o excesso de um casco depois de colocar a ferradura. Ele usou a parte mais fina dessa lixa e alisou a dentadura. Depois pegou um pedaço de lixa de papel e lixou a dentadura, e então chegou o grande momento. Ele pôs a coisa na boca da minha madrasta, e, podem acreditar, foi um encaixe quase perfeito, e ela a usou durante três anos, e pronto, na próxima vez que voltei da escola, vi uma grande placa na frente da nossa casa anunciando o Dr. J. M. Hill, Dentista. Ela o fez dentista da noite para o dia, e ele começou a praticar a profissão, e tudo que usava como ferramentas e equipamento era feito por ele. Meu pai fez um par de fórceps que funcionavam perfeitamente para extrair dentes. Eles não tinham anestésicos, nada disso. Para extrair dentes, você acomodava o homem na cadeira e colocava dois homens fortes, um de cada lado dos ombros, e outro segurando os pés, e simplesmente tirava o dente.

Ele seguiu praticando pelas montanhas de Virgínia e Kentucky, viajando a cavalo, e tudo ia muito bem, até que um dia um juiz de paz apareceu com um grande livro embaixo do braço. "Escute aqui, Dr. Hill, veja aqui o que diz na seção 560 do Código da Virgínia. É preciso ter uma licença para trabalhar como dentista, e, se não tiver, está sujeito a prisão e multa." Eles brigaram, e meu pai finalmente decidiu ir ao fórum da cidade falar com um advogado, ver o que se podia fazer sobre isso, e, quando voltou, pelo jeito como cavalgava, entendi que tinha sido derrotado; quando ele desmontou, minha madrasta fez outro discurso famoso que nunca vou esquecer, cavalheiros, enquanto eu viver. Ele disse: "Martha, acabou. O advogado disse que não posso conseguir uma licença sem passar por uma prova. É claro, você sabe que não posso fazer isso. Não tenho escolaridade suficiente". Ela disse: "Escute aqui, Dr. Hill, não fiz de você um dentista para me decepcionar. Se tem que fazer uma prova, vá para a faculdade e faça essa prova como todo mundo". E pensei: *ai, ai, não vão deixar nem que ele entre no campus, muito menos na faculdade.* Mas ele foi para a faculdade. Passou quatro anos na Louisville Dental College e pagou as mensalidades e despesas com o dinheiro do seguro de vida do ex-marido dela. Hoje eu diria que foi um excelente investimento.

Cavalheiros, ele ganhou todas as medalhas até o último ano; não permitiram que ele tentasse a mais alta, porque sabiam que também a ganharia. É que ele sabia mais de odontologia quando entrou lá do que a maioria sabe ao sair, porque aprendeu na prática. Não sei se essa história que estou contando é ou não uma honraria à profissão de vocês, só estou contando o que um homem fez com ela. Mas não foi o homem que fez isso: foi a atitude mental daquela mulher que ajeitou tudo isso para ele. Quando a mulher que você escolheu o apoia e decide empurrá-lo, é melhor ir em frente. É a coisa mais simples a se fazer. Eu sei, porque agora tenho uma dessas. Tive três outras que não fizeram nada para me empurrar para a frente, e o resultado é que, bem, não as tenho mais.

Agora preciso dar um exemplo de atitude mental que tem tudo a ver com vocês. Houve um tempo em que precisei extrair meus dentes. Não senti medo, porque tinha convivido com dentistas. Meu pai era dentista, e um dos meus tios também. Adquiri consciência sobre isso desde cedo. Mas sabia que uma cirurgia para extrair os dentes era importante. E, antes de começar o trabalho, passei três dias condicionando a mente para não só evitar a parte desagradável, como também promover um maravilhoso interlúdio, durante o qual eu provaria para mim mesmo que era capaz de sentar e ter meus dentes extraídos sem sofrimento e, mais que isso, gostar da experiência.

Fui ao dentista que eu acreditava que faria bem o serviço e o conheci melhor, cultivando essa relação durante uma semana enquanto o condicionava de maneira apropriada antes de começarmos o trabalho. Então, ele me recomendou alguém que só fazia extrações. Ele tirou quase todos os meus dentes em uma sessão, exceto nove. Restaram nove dentes, cinco em cima e quatro embaixo. Não foi desagradável, porque eu havia condicionado a mente para não permitir que fosse desagradável, e, quando voltei para remover esses nove dentes restantes, ele aplicou a anestesia na parte superior e inferior, é claro, e todo o meu rosto ficou adormecido, e ele examinou a região com interesse. A cada dois ou três minutos, dava uma olhada na minha boca. Pensei que ele estivesse esperando o anestésico fazer efeito. Finalmente, depois de um tempo, eu perguntei: "Bem, doutor, não vai começar a extrair esses dentes?". Ele respondeu: "Como assim, começar? Já tirei quase todos, só faltam três, eles estão ali, sobre a mesa". E de fato, os dentes estavam lá. Eu me havia dissociado profundamente do que estava fazendo. Na minha cabeça, estava na estação de rádio ensaiando o programa para o domingo seguinte, totalmente separado daquela operação. Isso é o que você pode fazer com sua atitude mental, se decidir e fizer. Você pode levar sua cabeça aonde quiser e não deixar nada interferir nessa operação.

Alguns de vocês leram *Quem pensa enriquece*. Sem dúvida, ele é o mais popular dos livros desse tipo, e agora, quinze anos depois do lançamento, vendeu só nos países estrangeiros mais de dez milhões de cópias e está vendendo mais no mundo inteiro do que quando foi lançado. Quero contar rapidamente a história desse livro, porque ela tem uma relação direta com o assunto da atitude mental. Escrevi esse livro e outros seis enquanto trabalhava para Franklin D. Roosevelt, durante seu primeiro mandato. Meu trabalho era vender aquele malfadado NRA. Que Deus me perdoe. E nos intervalos, quando não estava pelo país falando sobre esse assunto, estava escrevendo livros para não enlouquecer, como muitas outras pessoas que via à minha volta. Estávamos todos cercados pelo medo, e eu queria ficar fora disso, e, para manter a mente positiva, comecei a escrever livros. Não tinha a intenção de publicá-los. Só estava escrevendo para me manter fora da confusão. Em 1936, eu tinha terminado sete desses livros. Logo descobri que havia alguma coisa radicalmente errada com *Quem pensa enriquece,* e você vai se surpreender quando eu disser o que era, porque essa coisa errada que descobri era o que hoje fez dele um *best-seller* no mundo todo, fez dele um livro que, provavelmente, tornou mais homens bem-sucedidos que qualquer outro livro já escrito, e estou falando de sucesso financeiro. Quando li esse manuscrito, cavalheiros, descobri que o ritmo dele era muito lento. Ele foi escrito no ritmo do medo. Eu tinha absorvido o espírito daquele medo tremendo que tocava todos nós. Éramos milhões de pessoas projetando pensamentos de medo; eu tinha sintonizado e captado essa frequência, e escrito meu livro nesse ritmo.

Sentei diante da máquina de escrever. Não mudei uma palavra nele. Sentei e datilografei aquele livro inteiramente com uma nova disposição mental, com uma Atitude Mental Positiva, e foi isso que deu ao livro seu toque mágico. Quando você lê o livro, ele não revela nada de novo. Não tem nada novo nele, mas ele o faz voltar mentalmente, pegar as coisas que já usa e começar a fazer alguma coisa com elas, e é disso que a maioria precisa. Não precisamos de mais educação, mais conhecimento, mais fatos ou mais oportunidades. Precisamos fazer o melhor com as oportunidades que já temos. Vivemos no maior país que a civilização já conheceu. O que precisamos fazer é aproveitar que nascemos aqui e começar a usar nossas habilidades de um jeito como não estamos fazendo agora.

Enfrentei muitas circunstâncias na vida nas quais tive que manter a atitude positiva. Durante meus quarenta e tantos anos de experiência organizando a Ciência do Sucesso, passei por vinte grandes derrotas ou fracassos, no mínimo, pelo menos vinte. O único efeito que qualquer uma dessas derrotas teve sobre mim foi me fazer voltar lutando, com uma determinação de não aceitar da vida nada que eu não quisesse. Essa é uma afirmação ousada, e faço aqui um parêntese para dizer que vocês estão olhando agora para um homem que tem tudo que quer neste mundo, tudo de que precisa, inclusive paz de espírito, e nunca aceitei da vida nada que não quisesse.

Eu me casei com três mulheres que não serviram para mim. Terminei com elas. Fui trocando cada uma por outra melhor, até finalmente encontrar aquela que era para mim – ou talvez uma ou duas delas tenham me trocado. Mas não tenham nenhuma ideia errada a partir do que acabei de dizer, não tentem trocar de esposa; vocês podem cometer um erro.

O maior teste de toda a minha vida aconteceu quando meu segundo filho nasceu. Os médicos que o trouxeram ao mundo me encontraram na sala de espera do hospital e disseram: "Muito bem, rapaz, queremos que se prepare para um choque. Seu filho nasceu sem orelhas. Ele não tem nem sinal de orelhas e, é claro, vai ser surdo durante toda a vida. É melhor que saiba disso agora. Há crianças que nascem assim, e não há na história da medicina nenhum caso de alguma que tenha aprendido a escutar". Respondi: "Doutor, meu filho pode ter nascido sem orelhas, mas estou lhe dizendo, senhor, que ele não vai passar a vida toda surdo, mudo e burro". Um dos médicos me segurou pelo ombro e disse: "Controle-se. Fique calmo, amigo. Você precisa aprender que existem coisas no mundo que vai ter de aceitar, e essa é uma delas". Declarei: "Nunca vou aceitar isso".

Comecei a trabalhar com aquela criança antes mesmo de vê-la. Trabalhei com ele mais de três horas por noite, às vezes, dando diretrizes por meio de sua mente subconsciente, com uma forte atitude mental dirigida ao cérebro dele, com a determinação de influenciar a natureza para improvisar nele um sistema auditivo. Perto do fim do terceiro ano, não havia sinais de que alguma coisa houvesse acontecido, e então, mais ou menos nessa época, começamos a notar que eu tinha acesso a ele. Conseguia acordá-lo sem dizer uma palavra, sem ir ao quarto dele, só ordenando que ele acordasse, e, quando ele estava com nove anos, frequentava a escola, e aos vinte tinha ido para a faculdade. Descobrimos que, mais ou menos aos nove anos de idade, ele havia recuperado cerca de 65% da capacidade auditiva.

Então o levei à companhia que fabrica os aparelhos auditivos acústicos, e eles construíram um aparelho que garantiu 100% de audição e depois o enviaram para dar palestras por todo o país para grupos de médicos e dentistas, e assim por diante. Mas antes disso, pediram aos maiores especialistas em audição para fazer radiografias dele. Devem ter feito 150, 200 radiografias. Um dos médicos era o famoso Dr. Irving Vorhees, da cidade de Nova York, e perguntei a ele: "Doutor, meu filho tem 65% de audição, e você diz que o teste revelou que ele é capaz de ouvir coisas que você e eu não ouvimos. Ele ouve sons que você e eu não ouvimos. O que acha que é responsável por isso? Por que ele é diferente de todas as outras pessoas nessas mesmas condições?". Ele falou: "Bem, sem dúvida, as diretrizes psicológicas que você deu a ele fizeram a natureza improvisar algum tipo de sistema auditivo; provavelmente, um novo conjunto de nervos conectou alguma porção do cérebro às paredes internas do crânio, capacitando-o a ouvir. É o que chamamos agora de condução óssea".

Meu filho foi para a faculdade. Viveu até hoje muito bem-ajustado. Eu o ajustei no início para ter essa atitude em relação à sua condição, que não era algo com que se preocupar. Eu disse: "Você vai ter uma vida muito mais fácil que seus irmãos, porque as pessoas verão sua condição e serão gentis com você", e foi exatamente isso que aconteceu. Meu maior esforço não foi condicionar sua mente para ver o lado positivo dessa aflição, foi para impedir a mãe, a avó e a tia dele de mandá-lo para um desses lugares onde se aprende a linguagem dos sinais e leitura labial, esse tipo de coisa. Eu não queria que ele soubesse sobre essas concessões. Queria que ele aprendesse a confiar naquela coisa que vem de dentro, porque tinha descoberto que, se você quer ter um bom controle sobre essa coisa que Deus lhe deu, essa única coisa sobre a qual tem controle, precisa usá-la e contar com ela. Ela virá em seu auxílio em todas as ocasiões e para todos os propósitos.

Sei disso, porque, se você consegue mencionar uma circunstância de derrota que eu não tenha enfrentado, eu gostaria de saber qual é, e nunca soube de um caso em que essa fé, essa capacidade de contar com o poder mental tenha falhado.

No meu trabalho, entrei em contato com muitos homens relevantes e famosos, mas não acredito que tenha conhecido alguém mais interessante que Mahatma Gandhi, da Índia. Foi por intermédio da influência de Gandhi que meu livro *Quem pensa enriquece* foi introduzido naquele país, e posteriormente todos os meus livros. Mais de três milhões e meio de cópias de *Quem pensa enriquece* foram vendidas só na Índia. Mahatma Gandhi era uma figura de destaque e sempre me intrigou por causa das coisas maravilhosas que fazia com sua mente. Ele não tinha soldados. Não tinha dinheiro. Não tinha uma casa onde morar. Não tinha nem uma calça. Mas derrotou o grande Império Britânico e libertou o povo da Índia por meio do que chamou de resistência passiva.

Resistência passiva nada mais é do que assumir a atitude de não aceitar aquilo que não quer, como fiz em relação a meu filho. Nunca aceitei aquela aflição como uma coisa para a qual não havia remédio. Gandhi nunca aceitou o controle do governo britânico sobre seu povo como algo que não podia ser desfeito. Ele doutrinou mais de duzentos milhões de compatriotas com aquela resistência passiva, aquela ideia de manter uma atitude mental positiva em relação às coisas que queriam na vida, até que, com o passar do tempo, o governo britânico caiu, e a Índia se libertou. Tudo como resultado da atitude mental de um homem, só um homem.

Outro homem de destaque com quem trabalhei, que colaborou comigo e foi responsável, em grande parte, por testar muitos desses princípios antes de eles aparecerem em um dos meus livros foi o falecido Thomas A. Edison. Acho que o que mais me intrigou sobre o Sr. Edison foi seu método e seu sistema de posicionar a mente para se recusar a aceitar a derrota quando estava testando suas invenções. Quando trabalhava na lâmpada elétrica incandescente, por exemplo, que foi sua primeira grande invenção, ele enfrentou mais de dez mil fracassos separados e diferentes, antes de finalmente encontrar a resposta. Pense em um homem que passa por dez mil fracassos, não desiste e decide que quer fazer algo mais.

Vocês têm alguma ideia, cavalheiros, de quantas vezes o homem comum precisa ser derrotado antes de desistir de alguma coisa? Arrisquem um palpite. Quantas vezes o homem comum precisa ser derrotado antes de desistir, seja qual for a importância de seus objetivos. Arrisquem. Não, não é nem uma vez, porque muitos desistem antes de começar. Eu vi os diários nos quais esses fracassos foram registrados. Em cada página havia uma descrição separada de uma coisa distinta que ele tentou e não funcionou. Eram duas pilhas de livros dessa altura. Cada livro tinha cerca de duzentos fracassos. Anos de trabalho, e um dia, enquanto eu conversava com o Sr. Edison sobre isso, perguntei: "Sr. Edison, o que teria feito se, depois de dez mil tentativas, não houvesse encontrado a resposta? O que estaria fazendo agora?". Ele disse: "Bem, estaria no meu laboratório trabalhando, não aqui, passando o tempo com você". E seria exatamente isso que ele estaria fazendo.

Quero dizer a vocês, cavalheiros, que a coisa mais surpreendente que descobri enquanto trabalhava com mais de quinhentos desses homens relevantes do nosso país que desenvolveram filosofias de negócios, inclusive o Sr. Edison e o Sr. Ford, e me deixou perplexo foi que eles não tinham nada, absolutamente nada em termos de habilidades que vocês e eu não tenhamos. Só usavam melhor o que tinham do que vocês e eu usamos. Essa era a única diferença. O que permitiu que Edison arrancasse da natureza segredos que anunciou foi sua determinação de não aceitar a derrota, e sei que isso é verdade. Não tenho religião ortodoxa. Não sou praticante de nenhuma religião. Também não sou ateu, mas me parece que o Criador, ou a Inteligência Infinita ou alguma grande força, se coloca ao lado do homem que sabe exatamente o que quer e está determinado a não se contentar com menos.

Acho que não seria exagero dizer que existe algum tipo de poder superior que socorre o homem cuja atitude mental é tal que, não importa quantas vezes seja derrubado, não importa quantas derrotas enfrente, ainda diz: "Eu sei para onde estou indo; estou a caminho e determinado a chegar lá". Mas se você pode assumir esse tipo de atitude em relação a qualquer tipo de problema, vai descobrir que existe uma solução. Não existe problema sem solução. Todos os problemas têm soluções, embora, às vezes, a solução não seja aquela que o indivíduo quer.

E há outra coisa sobre essa questão de uma atitude mental positiva que você precisa saber antes de poder desenvolver esse tipo de hábito. Você precisa reconhecer que toda adversidade, toda derrota, todo recuo, todo erro, toda punição carrega a semente de um benefício equivalente. Não há exceção a essa regra. Nunca houve e nunca haverá.

Eu estava falando sobre isso ontem com meus alunos na Sheppard Manufacturing Company, e um deles disse: "E Nixon? Não acha que ele agora está encrencado? Onde está a semente de um benefício equivalente nisso para o Partido Republicano?". Agarrei essa chance. Estava só esperando alguém me fazer uma pergunta como essa, e foi um dos exemplos mais importantes que poderia dar. Quero dizer a vocês que nada durante a campanha dele foi tão benéfico para o Partido Republicano quanto o que aconteceu com Nixon, desde que ele seja honesto, porque as pessoas o conhecem por todo o país e jamais o teriam conhecido, e, quando isso acabar, se ele estiver no topo, terá sido a maior bênção que já caiu sobre o Partido Republicano. Espero e rezo para que ele saia dessa limpo, mas, se não acontecer, ainda afirmo que a semente do benefício equivalente está no incidente, porque posso dizer que não teremos elegido o homem errado.

Agora quero falar com vocês sobre o personagem mais interessante que já conheci. E espero que não tirem conclusões falsas sobre minha história antes de eu terminar, quando eu disser quem é esse homem.

Há alguns anos, um operário das plantações de algodão do Alabama, um homem dessa altura, estava apoiado sobre sua estaca, limpando o suor da testa e pensando nos motivos para aquela enorme diferença entre homens que nasceram com a pele branca e homens que nasceram com a pele preta. E enquanto estava lá pensando nisso, ele teve uma ideia. Ninguém sabe exatamente de onde essa ideia veio, mas ele teve uma ideia, e com base nela começou a pôr em prática as partes mais relevantes dos dezessete princípios da Ciência do Sucesso à cuja organização dediquei minha vida. O primeiro princípio seria Definição de Objetivo, saber aonde você vai e estar determinado a chegar lá. Ele soltou aquela estaca, voltou para casa e anunciou que de repente tinha se tornado Deus na Terra, e deu a si mesmo o pseudônimo de Pai Divino. Reuniu outros dois ou três homens, e eles partiram em direção ao norte para levar esse maravilhoso novo trabalho a um cenário melhor do que tinham no sul. Antes de chegarem a Nova York, os dois homens que o acompanhavam desistiram e voltaram ao trabalho. Ele finalmente chegou lá, e cerca de dez anos mais tarde, quando fui enviado àquela região por uma associação ministerial para desmascarar esse impostor, mostrar quem ele era, eu o conheci e soube sobre sua técnica e o que havia acontecido. Um dia, estava conversando com ele e disse: "Pai Divino, quero lhe fazer uma pergunta muito pessoal sobre esse negócio de se chamar de Deus. Isso é só uma... você sabe que isso é uma farsa, não sabe, mas só faz isso por publicidade, não é? Explique isso agora. Você tem sido franco sobre outras coisas". Ele falou: "Escute aqui, Sr. Hill. Só vou falar de coisas sobre as quais possamos estar de acordo". E pensei, *ah, não*, e comecei a olhar para aquele homem de um ponto de vista diferente a partir daquele minuto.

Ele afirma ter trinta milhões de seguidores. É mais rico que Henry Ford. É o pregador mais rico que já viveu na face da Terra. Foi mais esperto que qualquer pessoa sentada nesta sala e nunca teve que pagar um centavo de imposto de renda ao Tio Sam, e seu dinheiro chega de homens brancos e pretos sem que ele tenha que pedir. Não sei se ele tem trinta milhões de seguidores ou não, mas não ficaria surpreso se tivesse dez ou doze milhões, pelo menos, parte deles brancos, e pensei, *bom, são só um bando de malucos decepcionados, frustrados*, e comecei a entrevistar algumas dessas pessoas. Quero dizer que tive a maior surpresa da minha vida. Não eram malucos frustrados. Muitas eram pessoas bem inteligentes que diziam ter se livrado do antigo jeito ortodoxo de fazer coisas e pensado em dar uma chance àquela estrela em ascensão e acabaram ficando.

Voltei com meu relato para a associação ministerial que tinha me enviado até lá. Eu disse: "Escutem, se eu tivesse passado mais trinta dias lá, teria me juntado ao grupo, provavelmente". O que eu queria dizer, cavalheiros, é que, por causa da região do país onde nasceu e da cor de sua pele, já havia dois fatores negativos contra ele, para começar, e vocês e eu sabemos disso. Não havia nenhuma chance, teoricamente, de ele ter se tornado financeiramente independente. Nenhuma chance. Mas ele saiu do sul. E se tornou imensamente rico. É imensamente rico hoje e continua ganhando. O que aconteceu? Alguma coisa aconteceu para ele tomar posse da própria mente, e acho que quem quer que administre as coisas por aí no Cosmos não se incomoda se a mente pertence a um homem preto ou a um homem branco. A mente é a mente, e, quando o homem descobre que tem uma mente, a deixa positiva, a direciona para coisas que são benéficas e se torna determinado a conquistar as coisas que quer, ele pode ter sucesso.

Baseei minha filosofia da Ciência do Sucesso na observação de muitos milhares de pessoas, pessoas que estavam deprimidas e sem rumo, e as vi se erguerem e caminharem em direção ao sucesso. Logo depois do fim da Primeira Guerra Mundial, um jovem soldado foi ao meu escritório e disse: "Sr. Hill, estou acabado. Preciso de um lugar para dormir nesta noite e de alguma coisa para comer. Estou com fome". Bem, respondi: "Entre, soldado. Vamos nos sentar. Está disposto a se contentar com um sanduíche e um lugar onde dormir?". Ele declarou: "Isso é tudo de que preciso agora". Retruquei: "Não vamos aceitar tão pouco. Entre. Vamos ver se não pode ter mais que isso da vida". Passei duas horas com ele e, no fim dessa conversa, descobri que os únicos dois bens que ele possuía eram comercializáveis. Descobri que, antes de ir para a guerra, ele trabalhava para a Fuller Brush Company e vendia pincéis Fuller com muito sucesso, mas algo aconteceu na guerra que acabou com sua confiança, e ele não tinha o suficiente nem para voltar à Fuller Brush Company. Descobri que, enquanto estava servindo, ele aprendeu a cozinhar. Agora essas eram as únicas duas coisas que ele tinha. Sabia cozinhar e sabia vender. Eu disse: "Soldado, em vez de aceitar um sanduíche e um quarto, o que acha de se contentar com um milhão de dólares?". Ele reagiu: "Escute aqui, cidadão, não vim aqui para ser insultado. Estou com fome. Não entende o que significa fome? Já sentiu fome?". Falei: "Senti fome. Fome de muitas coisas, conhecimento, oportunidade, comida. Você sabe vender. Sabe cozinhar. Vamos juntar essas duas coisas. Vamos fazer um MasterMind sobre isso e ver o que conseguimos criar".

Não vou entrar em todos os detalhes, mas em uma semana o preparei para vender utensílios culinários de alumínio. Ele ia visitar um bairro, conseguia fazer contato com uma dona de casa e a convencia a convidar todas as vizinhas para ir à sua casa, e ele preparava o jantar nesses utensílios de alumínio e, depois do jantar, recebia os pedidos de utensílios. Era isso. Eu o levei à minha casa e o acomodei em um quarto. Mandei que fosse à Marshall Fields, onde eu tinha uma conta, comprei roupas boas para ele e adiantei algumas centenas de dólares enquanto ele começava nesse trabalho. Quando dei por mim, já havia uma dezena de pessoas trabalhando para ele, fazendo a mesma coisa, e ele recebia comissão por essas vendas. Logo eram quarenta ou cinquenta vendedores, e, de repente, ele desapareceu, não ouvi falar dele por quase quatro anos. Um dia ele apareceu, me procurou e disse: "Sr. Hill, vim pagar o que lhe devo". Estranhei: "Como assim, pagar o que me deve?". Ele insistiu: "Deve saber do que estou falando". "Não sei.

Nunca o vi antes em minha vida." "Bem", ele disse, "é claro que me viu." Ele estava bem-vestido, e aquele horrível olhar apagado de quando o vi pela primeira vez tinha desaparecido. Era um homem diferente. Tinha renascido. "Sou aquele homem que você preparou para vender utensílios de cozinha." "Ah. Não me diga que você é aquele homem." Ele confirmou: "Sim, sou aquele homem. E vim lhe pagar". E ele levou a mão ao bolso do casaco e começou a tirar dele extratos bancários. Nunca vi tantos extratos em toda a minha vida. O primeiro que peguei tinha um depósito de US$ 560 mil. O segundo tinha um de US$ 300 mil, e continuavam assim, e perguntei: "Bem, por que está me mostrando tudo isso?". Ele respondeu: "Eu disse que vim lhe pagar". O homem mantinha contas em praticamente todas as cidades dos Estados Unidos e tinha um cheque no bolso. Ele falou: "Trouxe seu cheque. Fiz o cheque para você. Está assinado, e esses extratos comprovam que está coberto em até US$ 4 milhões, e todo esse dinheiro é meu. Quero que preencha o cheque com o valor que acha que lhe devo". Respondi: "Escute, não fiz o que fiz por você para receber pagamento. Fiz para demonstrar que tinha uma filosofia capaz de levantar um homem arrasado e colocá-lo em pé novamente. Já fui recompensado pela oportunidade que você me deu para lhe mostrar como se levantar". Pela decepção nos olhos, vi que ele ficaria muito desapontado se eu não aceitasse o dinheiro. Então, pequei minha caneta-tinteiro. E disse: "Muito bem". Preenchi o cheque no valor de US$ 10 mil e o devolvi a ele. "O que acha?" "Acho que, se estivesse sentado no seu lugar, diante de todos esses extratos, não seria tão modesto. Preencheria o cheque com um valor maior."

Esse era o cavalheiro que começou o que hoje é uma importante indústria, e existem pelo menos meia dúzia de negócios nos Estados Unidos como esse, fundados por alunos meus; entre eles, a

Century Metal Corporation. Um dos meus alunos de maior destaque é o diretor-geral dessa empresa e tem mais de 250 vendedores trabalhando; e ele acolhe um menino do interior, ou quase qualquer tipo de menino, e em pouco tempo tem mais um vendedor fazendo 20, 25 mil dólares por ano. Todo homem que se dedica a vender tem que assumir essa filosofia. Em outras palavras, isso é indispensável. Ele não permite que ninguém vá a campo antes de ser treinado nessa filosofia, com a qual a mente do homem é condicionada para fazer as coisas que ele foi enviado para fazer sem aceitar um não como resposta.

Em 1908, meu irmão e eu nos matriculamos na Escola de Direito da Georgetown University, em Washington, dispostos a fazer o curso e nos tornar advogados. Não tínhamos dinheiro, mas eu tinha habilidade para escrever. Minha madrasta tinha me treinado para ser correspondente nos jornais do país. Acertamos que eu ganharia o dinheiro escrevendo histórias sobre homens de sucesso, vendendo esse material para revistas, e minha primeira matéria, felizmente, foi entrevistar Andrew Carnegie. Ele separou três horas para me receber. No final dessas três horas, disse: "Bem, rapaz, essa entrevista está só começando. Não terminamos. Vá à minha casa, e voltaremos a conversar durante o jantar". Ah, me senti especial. Sr. Carnegie, o homem mais rico do mundo, e um jovem como eu, e ele me convidando para ir à casa dele. Me senti muito honrado. Não conseguia entender aquilo.

Bem, depois do jantar, ele começou me dizendo: "É muito louvável que escreva matérias sobre homens como eu, que você chama de bem-sucedidos por terem acumulado alguns milhões de dólares. Mas este país e o mundo precisam de uma filosofia que reúna o *know-how* adquirido por homens como eu ao longo de uma vida de experiência, pelo método de tentativa e erro, em uma filosofia, uma filosofia simples que o homem comum possa entender e a partir da qual possa ter sucesso sem cometer todos os erros no livro, como nós, que aprendemos por tentativa e erro". E ele continuou: "Dos dias de Platão e Sócrates até os de Emerson e William James, tivemos muitos filósofos, mas eram todos filósofos abstratos que lidavam com as leis morais da vida, não com as leis econômicas da vida. Precisamos de uma boa e sólida filosofia da realização individual que dê ao homem todo o *know-how* disponível reunido por outros homens ao longo de uma vida de experiência".

Bem, ele enfiou isso na minha cabeça e continuou falando sobre isso durante dias e noites, e finalmente, ao fim desse tempo, disse: "Estou falando com você há três dias sobre essa nova filosofia e vou lhe fazer uma pergunta sobre ela; quero que responda com um sim ou um não. Não quero que responda antes de ter tomado uma decisão definitiva sobre o sim ou o não. Se eu o recrutar para tornar-se autor da primeira filosofia de sucesso do mundo, apresentá-lo a homens de conquistas relevantes, abrir portas para você por todo esse país de forma que possa ouvir as histórias deles e obter sua colaboração, você vai se dispor a dedicar vinte anos de pesquisa a esse trabalho, porque é esse tempo que vai levar, e ganhar seu sustento, enquanto isso, sem nenhum subsídio de minha parte? Sim ou não?". Cavalheiros, naquela época, só havia existido uma outra ocasião em minha vida quando fiquei tão perplexo e chocado e estive tão perto de dizer que não podia assumir essa responsabilidade. Foi quando meu filho nasceu e me deram a notícia de que ele não tinha orelhas. Tentei todos os caminhos para dizer ao Sr. Carnegie que não poderia aceitar. Em outras palavras, consegui pensar imediatamente em uma dezena de coisas, aquela parte do "não posso fazer" se impôs, e comecei a pensar nela. Não tenho dinheiro. Não tenho escolaridade. Não sei nem o que significa a palavra "filosofia". Toda a parte do não posso fazer invadiu minha cabeça, e eu tentava desesperadamente dizer a ele que não poderia aceitar, quando dentro de mim algo disse: *"Bem, se o Sr. Carnegie, o homem mais relevante da América, o melhor juiz de homens que a indústria jamais conheceu, viu em você alguma coisa que justifica atribuir essa tarefa, diga a ele que pode aceitá-la"*. Finalmente, respondi: "Bem, sim, Sr. Carnegie. Não só vou aceitar a tarefa, senhor, como pode contar comigo. Vou concluí-la". Ele disse: "A última parte da sua declaração era o que eu queria ouvir. Também queria ver sua expressão e ouvir seu tom de voz quando dissesse isso. Você entendeu". Mais tarde eu soube, cavalheiros, que ele estava ali sentado com um cronômetro embaixo da mesa, marcando meu tempo. Tinha me dado exatamente sessenta segundos para tomar a decisão, depois de todos os fatos que ele colocou, e disse que usei exatamente 29 segundos para responder que sim – e, se tivesse usado os sessenta segundos, teria perdido a oportunidade de uma vida.

Não acredito que algum autor na história do mundo, em qualquer época, no meu campo, e talvez em outro campo, tenha tido tanta ajuda e colaboração de tantos homens importantes por um período de tantos anos quanto eu tive, e, quando voltei a Washington e contei a meu irmão o que havia acontecido, ele se levantou, caminhou em minha direção, pôs a mão sobre meu ombro e falou: "Sabe, Napoleon, odeio dizer isso, mas durante toda a vida pensei que você era estranho, mas, de agora em diante, digo que não tenho dúvidas. Sei que você é mais que estranho, e o que tem de fazer é procurar um hospital psiquiátrico e examinar sua cabeça, porque você é maluco. Ir trabalhar para o homem mais rico do mundo durante vinte anos, sem receber por isso. Como vai viver sem dinheiro?". Minha boca ficou seca, e a decisão pareceu idiota, do jeito como ele a colocou. Eu pareci idiota. E pensei: *"Talvez tenha alguma coisa errada comigo. Acho que tem, mas agora está feito, e vou manter minha decisão*".

Dois anos atrás, no mesmo local onde meu irmão fez aquele discurso, ele terminou a Escola de Direito da Georgetown University e se tornou um advogado de sucesso. Dois anos atrás, naquele mesmo quarto no Hotel Willard, ele fez outro discurso. Afirmou: "Há muito tempo, minha atual esposa e eu estivemos lá juntos, há muito tempo fiz um discurso para você aqui neste quatro, e foi um discurso cáustico. Agora sei que estava errado. Seus livros renderam milhões de dólares e provavelmente vão render cinquenta ou sessenta milhões de dólares antes de isso acabar. *Quem pensa enriquece* está vendendo mais hoje do que quando foi lançado e é vendido praticamente no mundo todo; só aquele livro já rendeu mais dinheiro do que ganharam quatro gerações de pessoas dos dois lados da família. Certamente lhe devo um pedido de desculpas pelas declarações que fiz, porque você insistiu nos bons e nos maus momentos".

Não vou dizer a vocês o que me custou essa persistência, cavalheiros. Houve épocas, logo que comecei, quando minha própria família debochava de mim e dizia: "Bem, Napoleon Hill, ensinando às pessoas como ter sucesso. Ele não tem duas moedas no bolso". E a pior parte era que estavam dizendo a verdade. Bem, chegou o tempo em que juntei algumas moedas e o privilégio, provavelmente, o privilégio de prestar mais serviço prático, útil à humanidade do que qualquer pessoa que já escreveu livros em minha área. E o que me levou em frente naqueles vinte anos, cavalheiros, quando tive que buscar meu sustento de outras maneiras, o que me fez continuar foi a atitude mental que eu dizia ter prometido ao Sr. Carnegie – vou fazer esse negócio, e não me importa quanto tempo vai demorar. Não me importa qual é o preço. Não me importa quantos obstáculos vou encontrar. Não me importa quantas pessoas vão me criticar. Vou fazer isso, aconteça o que acontecer, e, falando em acontecimentos, houve uma inundação do Vale Ohio. Um homem e o filho dele estavam em cima do galinheiro. A água havia subido. Eles viram um chapéu flutuando. O chapéu subia e descia, subia e descia de novo. O pai disse: "O que será aquilo? O que é aquele chapéu ali?". O menino respondeu: "Aquele é o vovô". "Como assim, é o vovô?" "Bom, ouvi hoje de manhã ele dizer, antes da inundação, que ia cortar a grama do quintal, o que quer que acontecesse, e acho que ele está lá."

Atitude mental. Duvido que exista alguma coisa no mundo que se compare à importância da atitude mental. Neste novo livro que escrevi com o propósito de condicionar a mente de pacientes odontológicos, cavalheiros, vocês sabem, tudo que poderia ser ensinado sobre novas técnicas já foi posto em prática nessa área, e as técnicas em odontologia foram aperfeiçoadas quase que completamente. Se tem alguma coisa que se possa acrescentar, acho que seria difícil, para vocês, identificar o que é. Mas a única coisa que não foi feita por vocês nessa profissão, cavalheiros, é um sistema que condicione a mente do paciente para não sentir medo. Se agora acertei nessa resposta, terei feito por sua profissão talvez mais do que jamais fiz por qualquer outra profissão na face da Terra. Nada me deixaria mais satisfeito, porque, se tem uma profissão de que me sinto próximo, é a odontologia. Passei a vida toda convivendo com dentistas e só não fui um por muito pouco. Minha madrasta queria que eu seguisse essa profissão. Eu disse: "Bem, dois na família é um exagero".

Quero dizer a vocês o que é atitude mental positiva. É assim, e perdoem minha leitura. Não leio com muita frequência, mas desta vez é o que vou fazer, porque vai economizar tempo, e a linguagem que usei aqui é tão sucinta quanto qualquer coisa que eu puder oferecer oralmente. Uma atitude mental positiva tem muitas facetas, e há incontáveis combinações para sua aplicação em relação a todas as circunstâncias que afetam nossa vida. Em primeiro lugar, uma atitude mental positiva é o propósito fixo de fazer toda experiência, agradável ou desagradável, render alguma forma de benefício que vai nos ajudar a equilibrar a vida com todas as coisas que levam à paz de espírito. Em outras palavras, se você tem uma atitude mental positiva, tudo que chega a você é benéfico, seja isso bom ou ruim, seja isso agradável ou desagradável. Você se ajusta aos acontecimentos e não sucumbe a eles.

Não é muito difícil de fazer, mas é certamente o primeiro passo que você tem que dar para adaptar-se ao hábito de uma atitude mental positiva. Uma atitude mental positiva é o hábito de procurar a semente de uma vantagem equivalente que vem de todo fracasso, derrota ou adversidade que vivemos e a germinação dessa semente em algo benéfico. Só uma atitude mental positiva pode reconhecer e se beneficiar da semente de um benefício equivalente que vem de todas as coisas desagradáveis que se experimenta. Uma atitude mental positiva é a única que reconhece que uma atitude mental negativa vai focar o lado negativo de uma circunstância que é desagradável sempre e, em vez de fazer alguma coisa sobre isso, vai lamentar, ficar frustrado ou com medo. Uma atitude mental positiva é o hábito de manter a mente ativamente engajada com as circunstâncias e os bons desejos da vida e longe das coisas que não se quer.

Sabiam, cavalheiros, que a maioria das pessoas passa a vida toda com a mente predominantemente fixada nas coisas que não querem: medo da pobreza, medo da doença, medo da perda de pessoas amadas, medo de crítica, medo de envelhecer, medo da morte; de todas as coisas que não querem, e acabam na miséria e na pobreza com as coisas em que mais pensam? Não é assim? Isso não resume a situação? Olhe em volta, por favor, e me diga se as pessoas que pode ver são mais bem-sucedidas ou menos bem-sucedidas; se são mais felizes ou mais infelizes. Em toda a sua vida, já viram um homem perfeitamente feliz, com paz de espírito por saber o que quer? Vocês já viram um homem assim? A maioria das pessoas permite que a mente se ocupe de muitas coisas que elas não querem.

Pessoalmente, resisto às coisas que não quero; volto a mente para as coisas que quero e noto que aquelas coisas que não quero morrem à míngua. Simplesmente vão embora; vão para outro lugar. Vão para onde são desejadas, onde alguém dê abrigo a elas. Não tem espaço em minha cabeça para alguma coisa que não quero e não vou aceitar. Pode haver circunstâncias que me são impostas e com as quais tenho que lidar, e isso acontece com todo mundo, mas posso lidar com elas como Mahatma Gandhi fez. Posso lidar com elas pela resistência passiva. Não preciso acolher essas circunstâncias. Não tenho que as fazer parte de mim, se são desagradáveis. A mente tem um jeito de vestir os pensamentos em equivalentes físicos apropriados. Pense em termos de pobreza, e vai viver na pobreza. Pense em termos de opulência, e vai atraí-la pela lei eterna da atração harmoniosa. Os pensamentos sempre se vestem de coisas materiais apropriadas à sua natureza. Uma atitude mental positiva é o hábito de olhar para todas as circunstâncias apenas como oportunidades para testar a própria capacidade de superação.

Minha atitude em relação à condição do meu filho foi que eu estava diante de um dos maiores testes da minha filosofia, e decidi que, se não me saísse bem naquele teste, queimaria meus manuscritos. Nunca publicaria um livro sobre o assunto. Nunca diria uma palavra. Se não pudesse fazer aquilo funcionar nas minhas circunstâncias, não diria às pessoas que funcionava.

Uma atitude mental positiva é o hábito de avaliar todos os problemas e distinguir entre os que se pode resolver e os que não se pode resolver. Se você tem uma atitude mental positiva, a primeira coisa que faz quando um problema aparece é decidir a que categoria ele pertence. Se é alguma coisa sobre a qual você pode fazer alguma coisa, comece onde está, fazendo o que puder. Se é alguma coisa sobre a qual você não pode fazer nada, ajuste-se a ela em resistência passiva, de forma que ela não o derrube.

Existem algumas circunstâncias que você não pode controlar, mas pode fazer alguma coisa sobre todas as circunstâncias. Pode se recusar a aceitar aquelas que não quer. Pode se recusar a permitir que elas o tornem negativo. Pode se negar a deixar que elas o assustem ou encham de medo. Uma atitude mental positiva ajuda o indivíduo a fazer concessões para os fracassos e as fraquezas de outras pessoas sem ser impactado por sua mentalidade negativa ou influenciado por seu jeito de pensar.

Há muita gente que pensa que o mundo está indo para o inferno simplesmente porque o holofote foi apontado para Dick Nixon, e o que sei, e acho que todo homem nesta sala sabe, é que Dick Nixon, qualquer que seja o desfecho, está fazendo apenas o que a vasta maioria dos políticos tem feito em muito maior escala que tudo de que ele é acusado. Não ouvi aplausos para essa. Acho que não sei onde estou. Não vim aqui para falar sobre religião ou política, e, ao mencionar Pai Divino e Dick Nixon, uso-os apenas como dois exemplos importantes, porque todos nós os conhecemos.

Os dois têm o hábito de agir com definição de objetivo e total crença na solidez desse propósito e na capacidade de realizar. É o que faz a pessoa com uma atitude mental positiva. Age a partir de definição de objetivo com total crença na solidez desse princípio e em sua capacidade de realizar.

Quando fui escolhido por Carnegie para dar ao mundo essa filosofia, sabem qual foi a primeira coisa que fiz para transmitir uma atitude mental positiva? Vocês vão se surpreender. Foi muito pouco, mas foi a única coisa que pude fazer naquele momento, e fiz. Atravessei a rua, de onde tinha estado conversando com ele para a biblioteca pública, entrei, peguei um livro e procurei o significado da palavra "filosofia". Eu não tinha certeza do que ela significava. Essa era a medida de quanto eu estava preparado. Teoricamente, não tenho nenhum direito de estar aqui hoje falando com vocês. Nenhum direito de tomar seu tempo. Teoricamente, não tenho o direito de ter entrado na mente de mais de 65 milhões de pessoas em dois terços do mundo. Teoricamente, não tenho o direito de fazer isso. Teoricamente, não tenho o direito de ter paz de espírito, de ganhar liberdades, de desistir das coisas que me impediam de ter liberdade. Não tenho direito a isso, mas fiz tudo isso. Comecei pobre, limitado pela pobreza, limitado pelo analfabetismo, limitado pelo medo, limitado pela preocupação, limitado pela superstição, e isso era tudo que eu sabia. Tudo que estava à minha volta, por isso digo que, teoricamente, não tenho o direito de estar aqui. Mas estou aqui. Projetei minhas influências na vida de milhões de pessoas porque mantive uma atitude mental positiva quando as coisas ficaram difíceis. Vinte anos disso, de coisas difíceis. Ninguém me reconhecia. Todo mundo que ouvia o que eu estava fazendo dizia que eu era meio maluco, meio doido. Houve momentos em que pensei que talvez eles estivessem certos, mas segui em frente mesmo assim, porque havia algo inerente, talvez, alguma coisa dentro da minha alma que parecia dizer que, se você quer muito alguma coisa e não muda de ideia sobre isso, certamente vai conseguir essa coisa, e esse não é um princípio ruim de filosofia para se abraçar.

Uma atitude mental positiva é o hábito de ir além da área de responsabilidade e prestar mais e melhor serviço do que se é obrigado a prestar, e com uma atitude mental agradável, amigável. Nunca soube de nenhum sucesso, senhores, alcançado por alguém que não tenha se dedicado a ir além do que era sua responsabilidade, prestar mais e melhor serviço do que aceitou prestar, e com uma atitude mental agradável. E isso se aplica à sua profissão da mesma maneira que se aplica a qualquer outra profissão na face da Terra. Os pacientes que saem de seu consultório podem ser um anúncio ambulante do seu trabalho, e, embora vocês não tenham permissão para fazer publicidade, não acham que seus pacientes não o divulgariam?

Por acaso sabem quanto dinheiro foi gasto para pôr em circulação *Quem pensa enriquece* no mundo? Nenhum centavo. Esse livro foi distribuído inteiramente pelo boca a boca, por pessoas que o leram, gostaram dele e falaram sobre ele para outras pessoas. Fazer o esforço extra. Uma atitude mental positiva é o hábito de procurar as qualidades em outras pessoas e esperar encontrá-las, mas estar preparado para reconhecer qualidades que não são tão boas e não se deixar envolver por um estado mental negativo.

Existem algumas pessoas que são tão deficientes nesse negócio de manter uma atitude mental positiva em todas as circunstâncias que, quando encontram um homem que cometeu um erro, um homem que pode ter uma pequena fraqueza, simplesmente rotulam o homem dessa maneira. Você precisa aprender a aceitar as pessoas como as encontra e fazer o melhor que puder em seu relacionamento com elas, lidando com suas maiores qualidades e se protegendo como puder do que reconhece como seus defeitos.

Esse é o jeito de se dar bem com as pessoas no mundo. Vivemos uma era de caos, uma era de frustração, uma era de decepção e medo, e não sem bons motivos para todos; e, para superar tudo isso, precisamos de uma filosofia pela qual viver, senhores. Temos que ter meios para nos ajustarmos às coisas que aparecem para destruir a fé e a paciência da humanidade. Temos que ter meios para nos relacionar com ela. E o meio para isso é a manutenção de uma atitude mental positiva.

Obrigado, senhores, pelo convite para falar em sua convenção. Foi um prazer e uma honra. Espero não ter tomado muito de seu tempo e que tenham aprendido alguma coisa sobre a importância de sua atitude mental.

(Aplausos)

LIVROS FUNDAÇÃO NAPOLEON HILL

Fascinante, provocativo e encorajador, *Mais esperto que o Diabo* mostra como criar sua própria senda para o sucesso, a harmonia e a realização em um momento de tantas incertezas e medos. Após ler esse livro, você saberá como se proteger das armadilhas do Diabo e será capaz de libertar sua mente de todas as alienações.

Conheça o maior clássico de Napoleon Hill de todos os tempos, com mais de 100 milhões de cópias vendidas no mundo, nesta edição especial, traduzida diretamente do texto original de 1937.

Não há um dia sequer que eu não reflita e utilize os ensinamentos de Napoleon Hill. Ao ler e aplicar os conceitos de QUEM PENSA ENRIQUECE, você também poderá expandir seus sonhos e, mais importante, se aproximar deles. – THIAGO NIGRO

O clássico *best-seller* sobre o sucesso agora anotado e acrescido de exemplos modernos, comprovando que a filosofia da realização pessoal de Napoleon Hill permanece atual e ainda orienta aqueles que são bem-sucedidos. Um livro que vai mudar não só o que você pensa, mas também o modo como você pensa.

O manuscrito original – As leis do triunfo e do sucesso de Napoleon Hill ensina o que fazer para ser bem-sucedido na vida. Sucesso é mais do que acumular dinheiro e exige mais do que uma mera vontade de chegar lá. Napoleon Hill explica didaticamente como pensar e agir de modo positivo e eficiente, além de como conseguir a ajuda dos outros para a realização de objetivos.

Um clássico de Napoleon Hill que tem mudado milhões de vidas! Sua mente é um talismã secreto. De um lado é dominado pelas letras AMP (Atitude Mental Positiva) e, por outro, pelas letras AMN (Atitude Mental Negativa). Uma atitude positiva irá, naturalmente, atrair sucesso e prosperidade. A atitude negativa vai roubá-lo de tudo que torna a vida digna de ser vivida. Sucesso, saúde, felicidade e riqueza dependem de qual lado você irá usar.

Originalmente uma série de palestras de rádio em Missouri, este livro é repleto de *insights* e histórias pessoais e escrito em um estilo conversacional acessível. Os *insights* de Hill se aplicam a todas as facetas da vida, inspirando os leitores a alavancar seus princípios para alcançar suas próprias aspirações e criar as vidas de sucesso com que sempre sonharam.

A mais completa compilação dos escritos de Napoleon Hill sobre persuasão, *marketing* e técnicas de vendas. Poucas pessoas compreenderam a arte de vender tão bem quanto Napoleon Hill. Ele se tornou uma lenda nos círculos de negócios por criar cursos de vendas capazes de alavancar empresas insolventes até então. A filosofia de sucesso de Hill para vendedores era simples – você, o vendedor, é o ativo mais valioso e precisa se vender primeiro. Apresente a solução de um problema e a venda acontecerá naturalmente.

O *Pense e enriqueça* original foi escrito de uma perspectiva masculina, em uma era em que todos os titãs dos negócios eram homens. Por esse e muitos outros motivos, Sharon Lechter – a premiada coautora do *best-seller* mundial *Pai rico, pai pobre*, criou *Pense e enriqueça para mulheres*. Esse novo e poderoso livro oferece às mulheres um plano para superar obstáculos, agarrar oportunidades, definir e atingir metas, viver seus sonhos e preencher suas vidas com amor, família, significado e sucesso.

A arte de lidar com pessoas é um livro que une a habilidade e a filosofia nos relacionamentos. Ao colocá-las em prática, encontramos grandes resultados. O leitor perceberá que saber "o quê" é bem diferente de saber "como", por meio das páginas deste livro, e embarcará em uma viagem para aprimorar a sua inteligência interpessoal.

Nesse livro, Napoleon Hill relembra as conversas com seu mentor, o magnata Andrew Carnegie, apresenta os conceitos de visão criativa, pensamento organizado e atenção controlada, ensina como cultivar essas qualidades e explica sua importância para a conquista do sucesso. Domine sua mente, pense de modo criativo, organizado e atento, e suas ações o levarão à vitória.

Um clássico inédito de Napoleon Hill no Brasil, o livro é o registro de uma série de conversas entre Napoleon Hill e seu mentor, o magnata do aço Andrew Carnegie, um dos homens mais ricos da história. *Como aumentar o seu próprio salário* foi redigido no formato pergunta-resposta e apresenta em detalhes os princípios que Carnegie utilizou para construir seu império.

O que é paz de espírito? É liberdade das forças negativas que podem se apoderar de sua mente e de quaisquer atitudes negativas, como preocupação e sentimento de inferioridade. É liberdade de qualquer sentimento de carência. É liberdade de doença mental e física autoinduzida do tipo que degrada a vida de maneira crônica. É liberdade de todos os medos, especialmente dos sete medos básicos. É liberdade da fraqueza humana comum de procurar alguma coisa em troca de nada. É ter alegria de trabalhar e conquistar. É o hábito de ser quem é e pensar com a própria cabeça.

Uma série de artigos inéditos do homem que mais influenciou líderes e empreendedores no mundo. Esses ensaios, que contêm ensinamentos sobre a natureza da prosperidade e como alcançá-la e oferecem *insights* sobre a popularidade e o estilo envolvente do autor como orador e escritor motivacional, são publicados aqui em forma de livro pela primeira vez.

Saiba como utilizar o poder da persuasão na busca da felicidade e da riqueza. Aprenda mais de 700 condicionadores mentais que vão estimular seus pensamentos criativos e colocá-lo na estrada da riqueza e da felicidade – nos negócios, no amor e em tudo que você faz.